La Controverse
de Valladolid

ÉTONNANTS • CLASSIQUES

JEAN-CLAUDE CARRIÈRE

La Controverse de Valladolid

Présentation, notes, chronologie et dossier par
ANNE CASSOU-NOGUÈS
et
MARIE-AUDE DE LANGENHAGEN,
professeurs de lettres

GF Flammarion

Le théâtre
dans la même collection

© Éditions Actes-Sud, 1999,
pour l'édition originale.
© Éditions Flammarion, 2003,
pour cette édition.
Édition revue, 2006.
ISBN : 978-2-0807-2260-7
ISSN : 1269-8822

SOMMAIRE

La Controverse
de Valladolid

Jean-Claude Carrière, un auteur polyvalent

Écrivain protéiforme

Jean-Claude Carrière naît le 17 septembre 1931. Il fait des études de lettres et d'histoire avant de se consacrer au dessin et à l'écriture. Il signe son premier roman, *Lézard*, en 1957. Il s'intéresse aussi à d'autres genres, publiant des essais (*Les Mots et la Chose*, 1986) et des récits (*La Controverse de Valladolid*, 1992).

Scénariste

À l'amour de la littérature s'ajoute une passion pour le cinéma. Jean-Claude Carrière collabore pendant dix-neuf ans avec le cinéaste espagnol Luis Buñuel, pour qui il signe notamment les scénarios du *Journal d'une femme de chambre* (1964) et de *Cet obscur objet du désir* (1976). Il est également scénariste pour Milos Forman (*Valmont*, 1988), Volker Schlöndorff (*Le Tambour*, 1979), Andrzej Wajda (*Danton*, 1982) ou encore Jean-Paul Rappeneau (*Cyrano de Bergerac*, 1991, et *Le Hussard sur le toit*, 1995). Auteur de dialogues de téléfilms, il imagine, entre autres, ceux de *La Controverse de Valladolid*, une réalisation de Jean-Daniel Verhaeghe (1992).

Adaptateur et dramaturge

Jean-Claude Carrière s'intéresse aussi au théâtre et, entouré des plus grands, tels Jean-Louis Barrault et Peter Brook, il conçoit plusieurs adaptations. Dramaturge, il signe *L'Aide-Mémoire* en 1968 et *La Controverse de Valladolid*, montée par Jacques Lassalle, en 1999.

La *Controverse* : les Indiens du Nouveau Monde, des hommes comme les autres ?

Lorsqu'il publie le récit qu'il intitule *La Controverse de Valladolid*, lorsqu'il l'adapte pour la télévision et en écrit une version pour le théâtre, Jean-Claude Carrière s'intéresse à un débat qui eut réellement lieu, en 1550, dans un couvent espagnol, à Valladolid [1] : quelque soixante ans après la découverte du Nouveau Monde et les expéditions de conquête qui suivirent, deux hommes s'affrontèrent pour décider du sort qu'il fallait réserver aux Indiens.

---

1. *Valladolid* : ville située au nord-ouest de Madrid.

La conquête du Mexique :
de Christophe Colomb à Hernán Cortés

En 1492, Christophe Colomb traverse l'Atlantique et pense ainsi rallier les Indes par l'ouest. Il débarque en réalité aux Bahamas ! L'expédition est financée par la couronne d'Espagne, qui espère trouver suffisamment d'or pour organiser une nouvelle croisade vers Jérusalem. Rapidement, les très catholiques souverains Ferdinand et Isabelle envoient des missionnaires pour convertir les habitants de ces « Nouvelles Indes » ou « Indes de l'Ouest ». À la conquête spirituelle s'ajoute bientôt la conquête militaire. C'est en 1519 que Cortés, avec onze navires et quelques centaines d'hommes, entreprend celle du Mexique. Elle s'achève deux ans plus tard. L'attitude indécise de l'empereur aztèque Moctezuma (v. 1479-v. 1520) devant l'envahisseur espagnol [1], les dissensions au sein de la population indigène et l'infériorité de celle-ci en matière d'armes expliquent la rapide victoire des Espagnols.

La Controverse de Valladolid (1550)

■ Les enjeux

Dès les débuts de la conquête, on s'interroge en Espagne et dans les territoires conquis sur le sort à réserver aux Indiens. Sont-ils égaux aux Espagnols ou sont-ils inférieurs ? S'ils sont inférieurs, peuvent-ils être traités en esclaves ? De nombreux textes, qui émanent soit de la couronne espagnole, soit de l'Église, tentent de réglementer le statut des indigènes, mais ils sont très souvent contradictoires. Nous présentons ici les principaux.

---

1. Voir note 1, p. 37.

Textes favorables aux Indiens	Textes défavorables aux Indiens
1511 Sermon prononcé sur les terres nouvelles par le dominicain Cordoba, condamnant l'attitude cruelle des colonisateurs et affirmant que les Indiens sont des hommes, des êtres doués de raison.	**1501** Instauration par la Couronne espagnole du régime de l'*encomienda*. Sont confiés aux colons espagnols (*encomenderos*) des villages entiers d'Indiens soumis au travail forcé. En contrepartie, les capitaines espagnols sont chargés d'inculquer à cette main-d'œuvre gratuite les préceptes de la foi chrétienne.
1512 Lois de Burgos (ville d'Espagne située au nord-est de Valladolid) adoptées par la Couronne, insistant sur la nécessité de donner une éducation catholique aux fils des anciens chefs aztèques.	**1513** Rédaction du *Requerimiento* par des théologiens-juristes : injonction faite au nom de Dieu et adressée aux Indiens (le plus souvent menacés par les armes), rappelant que le pape a donné au roi d'Espagne un droit sur les terres nouvelles et « incitant » les Indiens à se soumettre à leurs nouveaux maîtres.
1537 Bulle (lettre papale) *Sublimis Deus* désignant les Indiens comme des êtres doués de raison et de dignité, qui ne doivent pas être emprisonnés arbitrairement, ni être privés de leurs biens, et qu'il faut convertir sans violence.	
1542 Promulgation par Charles Quint des « Nouvelles lois » (*Leyes nuevas*) prévoyant, avec l'interdiction de l'esclavage des Indiens, la suppression progressive des *encomiendas*. (Ces lois soulevèrent l'opposition unanime des colons et Charles Quint dut renoncer à la suppression des *encomiendas*.)	

Aucun des textes regroupés ci-contre ne fixe de manière définitive le statut des Indiens. Les guerres de conquête se poursuivent jusqu'en avril 1550. À cette date, Charles Quint, vivement critiqué par les différentes cours européennes, interrompt provisoirement ces opérations au coût humain très lourd : les pertes indiennes – tache noire sur le «Siècle d'or» espagnol –, chiffrées par millions, sont dues aux affrontements eux-mêmes, aux mauvais traitements et aux maladies que les Espagnols n'ont pas cherché à endiguer (ils y voyaient le signe de la faveur que Dieu accordait à leurs actions !).

Lorsque Charles Quint suspend les guerres de conquête, ni le statut des Indiens (sont-ils égaux aux Espagnols ?) ni leur sort (doivent-ils être traités en esclaves ou bien en hommes libres ?) n'ont été tranchés. Ces questions font précisément l'objet du débat qui, à l'initiative du pape Paul III et sous l'arbitrage de son légat Salvatore Roncieri, se tient dans un couvent de Valladolid, en 1550.

■ L'origine de la controverse et les forces en présence

Le chanoine de Cordoue, Juan Gines de Sépulvéda (v. 1490-1573), meilleur helléniste de son temps et grand commentateur d'Aristote[1], fait paraître à Rome, en 1543, un ouvrage intitulé *Democrates alter, sive de justis belli causis* (*Democrates alter ou des Justes Causes de la guerre*), dans lequel il justifie les guerres menées contre les Indiens dans les terres nouvelles. Lorsqu'il veut publier son livre en Espagne, il se heurte à l'opposition des

---

1. *Aristote* : philosophe grec (384-322 av. J.-C.), disciple de Platon. Au Moyen Âge, ses œuvres furent largement traduites en latin. Elles eurent une grande influence sur la pensée de l'Église catholique, marquée, entre autres, par la place qu'Aristote accorde à la nature comme critère du juste.

dominicains des deux grandes universités d'Alcalá et de Salamanque[1]. En présence du légat du pape, il doit défendre son ouvrage face à Bartolomé de Las Casas, qui plaide la cause des Indiens : c'est la controverse de Valladolid.

Le frère dominicain Bartolomé de Las Casas (1484-1566) a très tôt été sensibilisé à l'existence des terres nouvelles : son père et son oncle ont participé à la deuxième expédition de Christophe Colomb vers le Nouveau Monde et lui-même s'est embarqué pour Saint-Domingue en 1502. Le sermon de Cordoba, puis un massacre auquel il a assisté en 1514 à Cuba ont profondément modifié son opinion à l'égard des conquêtes. À partir de cette date, il a essayé à maintes reprises de convaincre les Espagnols qu'ils devaient considérer les Indiens comme leurs égaux. Dès 1520, afin de démontrer par l'exemple la possibilité d'une évangélisation pacifique, il s'est fait confier par la Couronne la colonisation de la côte de Cumana (au nord du Venezuela) : il était chargé d'y établir des laboureurs castillans (voir p. 40). L'entreprise fut un désastre. Usant ensuite de ses qualités d'évêque, de chroniqueur et d'écrivain, il a continué de défendre la cause indienne en Espagne et, en 1547, a tenté une expérience de cohabitation harmonieuse des Espagnols avec les Indiens sur le territoire de la Vraie Paix (voir p. 41), qui s'est également soldée par un échec. En 1550, c'est animé par la même ferveur qu'il combat les thèses soutenues par Sépulvéda.

■ La controverse et ses suites

La dispute oppose les deux hommes pendant plusieurs jours mais n'a aucun rôle historique (contrairement à ce qu'indique la relation de Jean-Claude Carrière) : aucune décision n'est prise à l'égard des Indiens. Tout au plus Las Casas emporte-t-il l'adhésion

---

1. *Alcalá et Salamanque* : villes situées respectivement à l'est et au nord-ouest de Madrid.

de l'auditoire puisque Sépulvéda n'obtient pas le droit de publier son livre en Espagne[1].

La conquête se poursuit. L'assimilation des deux cultures, espagnole et indienne, n'est jamais parfaite ; les conditions de vie des Indiens restent difficiles. C'est seulement au XIXe siècle que la loi entérine l'égalité des Indiens et des Espagnols en termes de dignité et de droits.

Comment mettre en scène une dispute ?

Du récit à la version théâtrale

La controverse fait d'abord l'objet d'un récit, nous l'avons précisé, qui naît sous la plume de Jean-Claude Carrière en 1992 et qui est adapté la même année pour la télévision (Jean Carmet incarne le légat du pape, Jean-Pierre Marielle Las Casas, et Jean-Louis Trintignant Sépulvéda ; voir p. 89). Le film est récompensé par un « Sept d'or » et par le prix « Italia ». C'est en 1999 qu'est rédigée la version théâtrale ; la pièce est jouée pour la première fois le 20 janvier, au Théâtre de l'Atelier à Paris. Jacques Lassalle en est le metteur en scène, Jacques Weber endosse le costume de Bartolomé de Las Casas, tandis que Lambert Wilson est Gines de Sépulvéda.

Lorsque Jean-Claude Carrière décide d'écrire la controverse pour le théâtre, il se heurte d'emblée à une difficulté : la dispute

---

1. Selon Tzvetan Todorov dans *La Conquête de l'Amérique*, Seuil, 1982, rééd. coll. « Points », p. 193.

est un exercice oratoire, nécessairement très statique puisqu'il est paroles plus qu'actions. D'où le danger encouru par le dramaturge : celui de lasser le spectateur. Comment créer l'action autour de l'argumentation ?

Le théâtre
ou l'esthétique de la concentration

Le légat prononce une phrase qui résume à elle seule la problématique de l'écriture théâtrale : « Le temps nous est [...] compté » (p. 86). Comment en effet passer d'un récit fouillé, documenté, de près de deux cents pages, à une pièce de théâtre dont la représentation ne peut excéder trois heures et qui doit sans cesse soutenir l'intérêt du spectateur ? Du récit à la version théâtrale, Jean-Claude Carrière a donc dû élaguer : le temps, les lieux, les personnages, l'intrigue même sont resserrés.

Le principe de concentration s'applique tout d'abord au temps. Dans le récit, la dispute entre Sépulvéda et Las Casas s'étalait sur cinq jours ; au théâtre, elle ne dure plus que deux jours et demi. Le texte théâtral n'hésite donc pas à éliminer certains épisodes comme celui du jongleur indien, dont l'intérêt dans le récit se limitait à confirmer des observations déjà établies à partir de l'expérience précédente, celle du simulacre de sacrifice [1] (p. 77). Les scènes inutiles d'un point de vue dramaturgique sont supprimées : la redondance ralentit l'action.

De même, les lieux sont moins nombreux dans la version théâtrale : l'« action » se situe principalement dans la « salle » du couvent. Seuls deux autres espaces apparaissent brièvement : la cellule du légat (p. 61) et celle de Las Casas (p. 98). Dans le récit, si

---

[1]. Le simulacre de sacrifice met en lumière l'inhumanité de Sépulvéda et, *a contrario*, l'humanité de Las Casas. L'épisode du jongleur indien, supprimé dans la version théâtrale, avait la même fonction.

la salle capitulaire était le lieu principal de l'intrigue, le lecteur était toutefois invité à déambuler avec les personnages des cuisines du couvent à la cellule de Sépulvéda, du cloître au Palais-Royal. La concentration spatiale au théâtre est sans doute liée à un problème technique – limiter le nombre des décors – mais relève surtout d'un choix stratégique opéré par le dramaturge : il s'agit d'empêcher la dispersion chez le spectateur et de le plonger, sans échappatoire possible, dans l'atmosphère oppressante de la dispute.

Le nombre très restreint de personnages dans la version théâtrale contribue à exacerber la tension : les regards des spectateurs sont rivés sur Las Casas et Sépulvéda. Les autres protagonistes ne sont que des outils au service de l'argumentation des ecclésiastiques. À l'inverse, le récit multipliait les personnages et disséminait l'attention. Dans la version théâtrale, la dispute est donc plus frontale. Par ailleurs, le spectateur se substitue à un auditoire – auquel le récit donnait souvent la parole – et est amené à prendre parti.

Dernier principe de concentration : l'intrigue. Au théâtre, les détours sont impossibles : il faut exposer les enjeux de l'action de façon rapide et efficace. Dans le récit, Jean-Claude Carrière détaillait le contexte historique de la controverse de Valladolid. La version théâtrale ne se focalise que sur le contenu de la controverse. On entre ainsi dans l'action *in medias res*. L'économie de l'information tend à rendre l'intrigue plus lisible pour le spectateur.

Le principe de concentration, qui préside à la construction de la pièce, contribue donc à créer un sentiment d'urgence et de tension chez le spectateur.

Le crescendo dramaturgique

Jean-Claude Carrière parvient à dramatiser la dispute en lui donnant la forme d'un procès :

• p. 24 : les forces en présence sont exposées – Sépulvéda fait office d'avocat de l'accusation (p. 25), Las Casas d'avocat de la défense (p. 25) – et l'objet de la dispute est énoncé (p. 24) ;

• p. 26 : première plaidoirie de Las Casas ;

• p. 40 : première plaidoirie de Sépulvéda ;

• de nombreuses preuves sont apportées, des témoins sont convoqués (sculpture : p. 59 ; colon : p. 61 ; famille indienne : p. 66 ; bouffon : p. 80) ;

• p. 86 : « dernier plaidoyer » de Las Casas ;

• p. 91 : « dernier plaidoyer » de Sépulvéda ;

• p. 99 : verdict.

Dans ce procès, le légat joue le rôle du président du tribunal : il oriente les débats, distribue la parole, décide des suspensions de séance et rend le verdict. Grâce à cette structure, le spectateur est invité à peser les arguments des deux camps, à prendre parti, et attend impatiemment le verdict.

De rebondissements en surprises

Pour animer les débats et vaincre le statisme de la dispute, la pièce multiplie rebondissements, « surprises » (p. 65) et « coups de théâtre » (p. 87). Au discours théorique, qui domine la première partie de la pièce, succèdent des manipulations d'objets, des expériences, sources du spectaculaire (première journée : présentation des « idoles en pierre sculptée », arrivée surprise du colon ; deuxième journée : expérimentations sur les indigènes, comédie du bouffon). Enfin, le dernier tableau repose lui aussi sur un coup de théâtre (p. 100) : alors que les débats semblaient clos, une intervention du supérieur du couvent conduit le légat à conclure hâtivement à la légitimité de l'« esclavage des nègres ».

La concentration, la construction sous forme de procès et les coups de théâtre, évitant le danger du statisme, assurent le dynamisme scénique.

CHRONOLOGIE

1478 1556
1478 1556

■ Repères historiques et culturels

1478[1]	Tribunal du Saint-Office : tribunal d'Inquisition établi dans la province de Séville.
1492	Les juifs sont expulsés d'Espagne. Découverte de l'Amérique par Christophe Colomb.
1494	Traité de Tordesillas qui partage les nouvelle terres entre Espagnols et Portugais.
1497	Vasco de Gama découvre la voie maritime des Indes par le cap de Bonne-Espérance.
1500	Découverte du Brésil par Cabral, navigateur portugais.
1502	Les musulmans sont expulsés d'Espagne. Las Casas s'embarque pour le Nouveau Monde.
1509	Début du règne de Henry VIII en Angleterre.
1514	À Cuba, massacre des Indiens par les Espagnols.
1515	En France, début du règne de François Ier.
1516	En Espagne, début du règne de Charles Ier.
1517	Début de la Réforme en Allemagne : « 95 thèses » de Luther.
1519	Charles Ier devient Charles Quint, empereur du Saint Empire germanique. Conquête du Mexique par Cortés. Magellan fait le premier tour du monde.
1521	Entrée de Cortés dans la capitale aztèque, Mexico-Tenochtitlán.
1522	Entre 1522 et 1531, Las Casas entreprend la rédaction de plusieurs ouvrages : une *Histoire des Indes* (*Historia de las Indias*) pour laquelle il dispose des papiers de Christophe Colomb ; une défense des civilisations indigènes (*Apologetica Historia*) et un traité théorique de l'évangélisation pacifique (*De unico vocationis modo*).
1534	En France, affaire des Placards : début des persécutions contre les protestants. Début de la Réforme en Angleterre. Premier voyage de Cartier au Canada.

---

1. Cette chronologie ne reprend pas les textes établis par l'Église ou par la Couronne espagnole pour définir le statut des Indiens du Nouveau Monde. Voir présentation, p. 8.

1543	Sépulvéda publie à Rome son *Democrates alter, sive de justis belli causis*.
1547	Au Guatemala, création du territoire de la Vraie Paix par Las Casas.
1550	Controverse de Valladolid.
1552	Las Casas publie un ouvrage dénonçant les massacres commis par les Espagnols en Amérique (*Brevisima Relación de la destruición de las Indias*).
1556	Début du règne de Philippe II en Espagne.

La Controverse
de Valladolid

PERSONNAGES

Sépulvéda
Bartolomé de Las Casas
Le légat du pape
Le supérieur
Le colon
Le bouffon
Un indien
Une indienne
Un enfant indien
Un serviteur noir

Une salle dans un couvent espagnol, au XVIᵉ siècle. Il ne s'agit pas d'une grande salle capitulaire [1]*, mais d'un endroit plutôt petit, aménagé pour une rencontre presque secrète.*

Deux tables qui portent divers documents se font face. Une troisième est 5 *placée sur une estrade légèrement surélevée.*

D'un côté, la pièce donne sur un cloître, de l'autre sur une cellule [2] *toute simple.*

Au début un homme, Sépulvéda [3]*, est seul devant une table. Il compulse divers documents et prend des notes. C'est un philosophe au teint pâle, un* 10 *homme de cabinet* [4]*.*

Un autre homme apparaît, Bartolomé de Las Casas, qui est au contraire un homme d'action, au visage basané, âgé d'environ soixante ans. Il échange avec Sépulvéda un regard rapide, et un signe de tête, puis il va prendre place à l'autre table. Il porte l'habit des dominicains [5]*. Une cloche sonne.*

---

1. Salle capitulaire : salle où se réunissent les religieux pour débattre.

2. Cellule : petite chambre.

3. Voir présentation, p. 9.

4. Un homme de cabinet : un homme d'études, par opposition à l'«homme d'action», l'homme de terrain qu'est le dominicain Las Casas (voir présentation, p. 10).

5. Dominicains : religieux de l'ordre institué au XIIIᵉ siècle par saint Dominique pour l'évangélisation du monde entier et le salut des âmes. Les frères dominicains, également appelés «frères prêcheurs», portent une robe blanche.

15 *Deux autres ecclésiastiques apparaissent. L'un est le supérieur du couvent,*
un dominicain. L'autre est un cardinal italien, légat [1] du pape.
À son entrée, le cardinal est accueilli par tous les signes du respect. Il leur
dit, en les bénissant :

LÉGAT. – Recevez, mes chers frères, la bénédiction de Sa
20   Sainteté [2], qui m'envoie ici.
    (Les trois autres mettent genou à terre et se signent tandis qu'il les
    bénit.)
    In nomine patris, et filii, et spiritus sancti [3].

LES TROIS. – Amen.

25 *Les laissant à genoux, il poursuit, avec un signe de tête au supérieur :*

LÉGAT. – Je remercie le couvent de San Gregorio, et son supérieur.
    Le Saint-Père m'a envoyé en Espagne pour une mission
    précise. Mais ce que nous dirons, si je l'estime nécessaire, ne
    dépassera pas les murs de cette pièce. J'ai vu le roi [4]. Il est de
30   cet avis.
    Les autres n'ont rien à dire. L'autorité du légat est entière. Il ajoute :
    Prions Dieu qu'Il nous accorde ici Sa lumière.
    Oremus [5].
    Ils prient un instant à voix basse. Quand ils ont prononcé l'amen, le
35   *légat dit :*
    Relevez-vous.

SUPÉRIEUR. – Prenons nos places.

---

1. *Légat* : représentant du pape.
2. *Sa Sainteté* : le pape Paul III, également désigné par « Saint-Père ».
3. *In nomine patris, et filii, et spiritus sancti* : « Au nom du Père, du Fils,
et du Saint-Esprit » (dogme de la Trinité dans la doctrine chrétienne, mystère
du Dieu unique en trois personnes). Cette formule est prononcée au début et à
la fin de la messe (désormais en français).
4. *Le roi* : Charles Quint.
5. *Oremus* : « Prions. »

Sépulvéda et Las Casas s'installent chacun derrière une table. Le légat
commence à monter les marches de l'estrade, mais une d'elles cède sous
40 *son poids. Il trébuche. Le supérieur, qui se trouve juste derrière lui, le*
retient.

Je vous demande pardon…

LÉGAT. – Ce n'est rien.

Le légat s'installe derrière sa table et prend la parole :

45 Mes chers frères, depuis que, par la grâce de Dieu, le royaume
d'Espagne a découvert et conquis les Indes de l'Ouest [1], que
certains appellent déjà le Nouveau Monde, nous avons vu
s'élever un grand nombre de questions difficiles que rien,
dans l'histoire des hommes, ne laissait prévoir. Une de ces
50 questions, qui est de première importance, n'a jamais reçu de
réponse claire et complète. C'est elle qui nous réunit ici.

Après une très courte pause, le légat reprend, dans le plus grand
silence :

Ces terres nouvelles ont des habitants, qui ont été vaincus et
55 soumis au nom du vrai Dieu. Cependant, depuis une trentaine
d'années, des rumeurs se sont répandues en Europe disant que
les indigènes [2] de Mexico et des îles de la Nouvelle Espagne ont
été très injustement maltraités par les conquérants espagnols.

Le dominicain, Las Casas, hoche la tête à ces mots.

60 Ces rumeurs, que les ennemis de l'Espagne, l'Angleterre et la
France, peuvent avoir exagérées…

C'est au tour de Sépulvéda d'approuver, d'un léger hochement de tête.

… sont parvenues à Sa Sainteté le pape, qui s'en est montré
vivement ému, d'autant plus que ces traitements s'exerceraient
65 au nom de notre sainte religion.

Las Casas approuve, là encore.

---

1. *Les Indes de l'Ouest* : voir présentation, p. 7.
2. *Indigènes* : à l'origine, ce terme désigne ceux qui sont nés dans le pays
qu'ils habitent ; il prend ensuite un sens plus spécifique et désigne les membres
d'un groupe ethnique existant dans un pays d'outre-mer avant sa colonisation.

Il a toujours été très difficile de séparer les affaires publiques de l'exercice indispensable de la religion. Comment rendre à César ce qui est à César, et à Dieu ce qui est à Dieu ? Comment soigner les âmes en négligeant les corps ? C'est une interrogation très ancienne.

Sépulvéda et Las Casas approuvent ensemble.

À plusieurs reprises le Saint-Père et ses prédécesseurs avant lui ont manifesté de la compassion pour les populations des terres nouvelles. L'Église a toujours recommandé de les traiter avec douceur, mais nos instructions, à ce qu'il semble, n'ont pas toujours été respectées, pas plus d'ailleurs que les règlements de la Couronne [1].

Las Casas approuve de la tête.

Aujourd'hui, le Saint-Père m'a envoyé jusqu'à vous pour décider une fois pour toutes, avec votre aide, si ces indigènes sont des êtres humains achevés et véritables, des créatures de Dieu et nos frères dans la descendance d'Adam. Ou si au contraire, comme on l'a soutenu *(il se tourne vers Sépulvéda)*, ils sont des êtres d'une catégorie distincte, ou même les sujets de l'empire du diable.

Un bref et mince sourire traverse le visage de Sépulvéda.

À la fin de notre débat, la décision que je prendrai sera *ipso facto* [2] confirmée par Rome.

SUPÉRIEUR. – Deviendra-t-elle par conséquent irrévocable ?

LÉGAT. – C'est l'usage.

(Une courte pause.)

Je vois que les adversaires qui vont s'opposer sont l'un et l'autre très illustres, et je les remercie au nom du Saint-Père d'avoir accepté cette dispute [3].

---

1. *Les règlements de la Couronne* : voir présentation, p. 7.
2. *Ipso facto* : automatiquement.
3. *Dispute* : débat.

(Il dirige son regard vers le dominicain.)
Et d'abord frère Bartolomé de Las Casas, qui connaît bien les terres nouvelles et a plusieurs fois manifesté ses bons sentiments à l'égard de ces indigènes.

Las Casas incline la tête.

Le légat se tourne vers le philosophe :
En face, je salue maître Gines de Sépulvéda lui-même, dont les œuvres philosophiques sont connues de toute la chrétienté. Son érudition et sa pénétration d'esprit[1] nous seront précieuses. J'espère que Dieu nous assistera et que par Sa grâce[2] nous saurons garder toute conscience et dignité.

SUPÉRIEUR. – Frère Bartolomé, vous avez la parole.

Le dominicain Las Casas remercie d'un signe de tête, réfléchit pendant deux ou trois secondes – observé par le regard perçant, très attentif, de son adversaire Sépulvéda.

LAS CASAS. – Éminence, il a été dit par Notre-Seigneur Jésus-Christ : « Je suis la vérité et la vie[3]. » Je vais m'efforcer de dire la vérité sur ceux à qui nous sommes en train d'enlever la vie.
(Une pause, très brève.)
Car c'est la vérité, nous sommes en train de les détruire. Depuis la découverte et la conquête des Indes, les Espagnols n'ont pas cessé d'asservir de torturer et de massacrer les Indiens.
(Posant la main sur une pile de notes.)
Ce que j'ai à dire est si affreux que je ne sais par où commencer. Il y aurait de quoi remplir un énorme livre.

LÉGAT. – Parlez à votre aise.

rendre esclave

---

1. *Pénétration d'esprit* : perspicacité, acuité, finesse d'analyse.
2. *Par Sa grâce* : par la grâce de Dieu, c'est-à-dire par son secours, par ses faveurs.
3. Évangile de Jean, 14, 6.

LAS CASAS. – Depuis les tout premiers contacts, les Espagnols n'ont paru animés et poussés que par la terrible soif de l'or, ce métal funeste qu'ils découvrirent accroché aux oreilles des premiers habitants, il y a déjà plus d'un demi-siècle. Depuis, c'est tout ce qu'ils réclament : «De l'or ! De l'or ! Apportez-nous de l'or !» Au point qu'en certains endroits les habitants des terres nouvelles disaient : «Mais qu'est-ce qu'ils font avec tout cet or ? Ils doivent le manger !» Tout est soumis à l'or, tout ! Aussi les malheureux Indiens sont-ils traités depuis le début comme des animaux privés de raison.

Il saisit un de ses dossiers, semble vouloir l'ouvrir, le repose. Il préfère parler sans notes :

Dès la conquête, sur ordre de Cortés [1], on les marquait au visage de la lettre G, au fer rouge, pour indiquer qu'ils étaient esclaves de guerre. On les marque, aujourd'hui, du nom de leur propriétaire. Quand ils passent d'un propriétaire à l'autre on les marque, encore et encore. Ces marques s'accumulent sur leurs visages, qui deviennent comme du vieux papier.

Il saisit quelques dessins dans un de ses dossiers et les montre. Le légat les examine, et les passe au supérieur. On y voit des Indiens marqués au visage.

Dès le début on les a jetés en masse dans des mines d'or et d'argent, et là ils meurent par milliers. Une effroyable puanteur se dégage de ces mines, qui sont pires que l'enfer, noires et humides. Les puits sont survolés par des troupes d'oiseaux charognards [2] si innombrables qu'ils masquent le soleil !

Las Casas s'anime peu à peu en parlant, tandis qu'en face de lui le philosophe Sépulvéda reste calme et observateur, prenant de temps en temps une note rapide.

LÉGAT. – Vous préparez un livre à ce sujet ?

---

1. Cortés : voir présentation, p. 7.
2. Charognards : se nourrissant des charognes, c'est-à-dire des cadavres.

LAS CASAS. – C'est exact, éminence.

LÉGAT. – Et dans ce livre[1], me dit-on, vous parlez aussi de massacres ?

155 LAS CASAS. – Oui, éminence. C'est par millions qu'ils ont été exterminés.

Il a appuyé sur le mot « millions », ce qui provoque de nouveau ce mince sourire sur les lèvres de Sépulvéda.

Las Casas remarque ce sourire et s'adresse directement à lui :

160 Oui, par millions ! Comme des bêtes à l'abattoir ! Et je n'y vois pas de quoi rire !

LÉGAT. – Mais par quels procédés ?

LAS CASAS. – Oh, tout nous est bon. Mais le fer[2] surtout, car la poudre[3] est chère. Quelquefois on les embroche par groupes

165 de treize, on les entoure de paille sèche et on y met le feu. D'autres fois on leur coupe les mains et on les lâche dans la forêt en leur disant : « Allez porter les lettres ! »

LÉGAT. – Ce qui signifie ?

LAS CASAS. – Allez porter le message ! Allez montrer aux autres

170 qui nous sommes !

Le supérieur lève la main. Le légat le remarque et lui dit :

LÉGAT. – Oui ?

Le supérieur demande à Las Casas :

SUPÉRIEUR. – Et pourquoi par groupes de treize ?

---

1. Las Casas est l'auteur de nombreux ouvrages sur la conquête du Nouveau Monde ; voir chronologie, p. 16-17.
2. *Le fer* : l'arme blanche.
3. *La poudre* : la poudre utilisée dans les armes à feu.

175 LAS CASAS. – Pourquoi ? Pour honorer le Christ et les douze
apôtres ! Oui, je vous dis la vérité. Le Seigneur a été
«honoré» par toutes les horreurs humaines. Tout a été
imaginé ! Quelquefois on saisit les enfants par les pieds et on
leur fracasse le crâne contre les roches ! Ou bien on les met
180 sur le gril, on les noie, on les jette à des chiens affamés qui les
dévorent comme des porcs ! On fait des paris à qui ouvrira un
ventre de femme d'un seul coup de couteau !

Le légat le fait taire d'un geste.

LÉGAT. – Frère Bartolomé, vous nous parlez de la triste misère
185 des conflits, qui est commune à tous les peuples. Jules César,
qui passait pour clément [1], faisait couper une main aux pri-
sonniers et les renvoyait chez eux dans cet état, pour servir de
messages vivants. Nous sommes ici dans le territoire cruel de
la guerre, et ce que…

190 *Las Casas se permet d'interrompre le cardinal.*

LAS CASAS. – La guerre ? Quelle guerre ?

*Il quitte sa table et s'avance. Peu à peu, son émotion va croître, devenir
véhémente [2].*

Ces peuples ne nous faisaient pas la guerre ! Ils venaient à nous
195 tout souriants, le visage gai, curieux de nous connaître, chargés
de fruits et de présents ! Et nous leur avons apporté la mort ! Au
nom du Christ ! La mort !

Le supérieur, qui paraît scandalisé, demande au légat :

SUPÉRIEUR. – Éminence, n'est-ce pas là un blasphème [3] ?

---

1. **Clément** : modéré.
2. **Véhémente** : ardente, passionnée.
3. **Blasphème** : parole outrageant Dieu.

■ Le massacre des Indiens par les Espagnols. Illustration de Théodore de Bry (1528-1598) pour la traduction latine de la *Brevisima Relación* de Las Casas (1598).

200 LÉGAT. – La sainteté de ce lieu nous autorise à tout entendre. Et de toute manière que pourrions-nous cacher à Dieu ?
(À Las Casas.)
Continuez.

LAS CASAS. – Oui, tout ce que j'ai vu, je l'ai vu se faire au nom du
205 Christ ! J'ai vu des Espagnols prendre la graisse d'Indiens vivants pour panser leurs propres blessures ! Vivants ! Je l'ai vu ! J'ai vu nos soldats leur couper le nez, les oreilles, la langue, les mains, les seins des femmes et les verges des hommes, oui, les tailler comme on taille un arbre ! Pour
210 s'amuser ! Pour se distraire ! J'ai vu, à Cuba, dans un lieu qui s'appelle Caonao, une troupe d'Espagnols, dirigés par le capitaine Narváez [1], faire halte dans le lit d'un torrent desséché. Là ils aiguisèrent leurs épées sur des pierres, puis ils s'avancèrent jusqu'à un village et se dirent : « Tiens, et si on essayait le
215 tranchant de nos armes ? » Un premier Espagnol tira son épée, les autres en firent autant, et ils se mirent à éventrer, à l'aveuglette, tous les villageois qui étaient assis bien tranquilles ! Tous massacrés ! Le sang ruisselait de partout !

LÉGAT. – Vous étiez présent ?

220 LAS CASAS. – J'étais leur aumônier [2], je courais comme un fou de tous côtés ! C'était un spectacle d'horreur et d'épouvante. Et je l'ai vu ! Et Narváez restait là, ne faisant rien, le visage froid. Comme s'il voyait couper des épis. Une autre fois, j'ai vu un soldat, en riant, planter sa dague [3] dans le flanc d'un enfant,
225 et cet enfant allait de-ci de-là en tenant à deux mains ses entrailles qui s'échappaient.

---

1. *Narváez* (*Pánfilo de*) : navigateur espagnol (v. 1470-1529). Il assista Diego Velázquez dans sa conquête de Cuba (1511).
2. *Aumônier* : prêtre chargé de la direction spirituelle d'un groupe.
3. *Dague* : épée à lame courte et large.

On voit Sépulvéda noter rapidement quelque chose.

Toujours à Cuba, on s'apprêtait à mettre à mort un de leurs chefs, un cacique[1], sans aucune raison, et à le brûler vif. Un moine s'approcha de l'homme et lui parla un peu de notre foi. Il lui demanda s'il voulait aller au ciel, où sont la gloire et le repos éternel, au lieu de souffrir en enfer. Le cacique lui dit : « Est-ce que les chrétiens vont au ciel ? Oui, dit le moine, certains d'entre eux y vont. Alors, dit le cacique, je préfère aller en enfer, pour ne pas me retrouver avec des hommes aussi cruels ! »

Il marque une pause et revient vers sa table.

Il regarde quelques papiers. Il reprend sur un autre ton, très ému :

J'ai vu des cruautés si grandes qu'on n'oserait pas les imaginer. Aucune langue, aucun récit ne peut dire ce que j'ai vu.

Il prend un large mouchoir dans sa robe et se mouche.

Le légat le regarde toujours très attentivement, sans l'interrompre, en homme qui a tout le temps.

Las Casas range son mouchoir et reprend :

Éminence, les chrétiens ont oublié toute crainte de Dieu. Ils ont oublié qui ils sont. Oui, des millions ! Je dis bien des millions ! À Cholula, au Mexique, et à Tapeaca, c'est toute la population qui fut égorgée ! Au cri de « saint Jacques[2] » ! Et c'était facile ! Parce que ces hommes n'avaient pas d'armes comme les nôtres ! Ni de chevaux !

SUPÉRIEUR. – Mais pourquoi ces massacres ?

LAS CASAS. – Sans aucune raison. Ces hommes venaient pour les aider. Trois jours ! Trente mille morts ! Les Indiens survivants

---

1. *Cacique* : chef de certaines tribus indiennes d'Amérique.
2. *Saint Jacques (dit le Majeur)* : il fut l'un des douze apôtres, parmi les premiers à avoir suivi Jésus. Une légende fait de lui l'apôtre de l'Espagne : ses restes seraient revenus à Saint-Jacques-de-Compostelle (haut lieu de pèlerinage en Espagne), après sa mort à Jérusalem. C'est en son nom que les Espagnols égorgent les Indiens.

se réfugiaient sous des tas de cadavres. À la fin ils sortaient en
rampant, couverts de sang, demandant la vie sauve. Pas un
255 seul ne resta vivant ! Le capitaine espagnol chantait une chanson où il était question de Néron[1]. Je ne me rappelle plus les
paroles.

SUPÉRIEUR. – Et ils ne se défendaient pas ?

LAS CASAS. – Ils ne comprenaient pas qui nous étions, ce que
260 nous voulions. Ils regardaient avec étonnement leurs assas-
sins. Qui sait ? Peut-être pensaient-ils au début que ce n'était
qu'un simulacre de la mort[2] ? Un jeu mystérieux et
magique ? Que les cadavres allaient se relever, marcher et
rire ?
265 *(Il s'approche de nouveau du légat.)*
Savez-vous qu'en certains endroits, aujourd'hui encore, les
Espagnols se servent du sang de ces hommes pour arroser
leurs terres ?
Le légat reste attentif, mais impénétrable.
270 *Las Casas continue, et son ton monte de plus en plus :*
Les capitaines en emmenaient de longs cortèges enchaînés, en
expédition, et de temps en temps ils disaient aux soldats :
«Coupez un morceau de la cuisse de ce drôle-là, et donnez-le
aux chiens ! » Comme s'il s'agissait de quartiers de moutons !
275 Dans certains camps, on voyait des étalages, des boucheries
de chair humaine ! Des cuisses, des poitrines attachées à des
poutres ! Les Indiens, ils les nourrissaient de chair indienne !
Ça ne coûtait rien. On a même raconté que des Espagnols en
mangeaient !

280 LÉGAT. – Allons, allons...

---

1. *Néron* : empereur romain (37-68), célèbre pour sa cruauté.
2. *Un simulacre de la mort* : une représentation de la mort ; un semblant de
mort.

(Le légat étend un bras, fait taire Las Casas et lui dit :)
Il est dans la nature humaine, frère Bartolomé, de raconter beaucoup et de réfléchir peu. Je vous ai laissé parler, j'ai remarqué votre émotion, votre véhémence, mais vous savez
85 que les plus grandes vérités peuvent être dites dans un murmure.

LAS CASAS. – Pas celles-ci.

LÉGAT. – Qui sait ? Celui qui crie veut étouffer la voix de l'autre, qui sans doute le gênerait.

LAS CASAS. – Je n'ai voulu faire taire personne. Mais tant de voix,
90 par force, restent dans le silence.

LÉGAT. – Je vous ai bien écouté, croyez-moi, mais je dois vous rappeler que ce n'est pas cette question-là qui nous préoccupe. Nous ne devons pas nous décider sur la cruauté des Espagnols, nous devons nous décider sur la nature et la
95 qualité de ces indigènes. Vous me comprenez ?

LAS CASAS. – Oui éminence, je vous comprends.

LÉGAT. – C'est pourquoi je vous demande, à vous qui les connaissez : comment sont-ils ?

Las Casas se retourne un instant vers Sépulvéda pour lui dire :

100 LAS CASAS. Je suppose que nous n'allons pas retenir l'hypothèse de l'empire du diable ?
Avec son bref sourire, Sépulvéda donne son accord d'un geste : non, on ne retiendra pas cette hypothèse.
Bien.

105 LÉGAT. – Je n'ai évoqué cette légende que pour mieux en montrer l'excès. Satan n'a pas de frontière à ses États. Ce serait trop facile. Il est partout, et d'abord en nous-mêmes.

SUPÉRIEUR. – Mais l'enfer doit bien se trouver en un certain lieu ?

LÉGAT. – Certainement, mais j'espère ne savoir jamais où.

310 *Sépulvéda esquisse un sourire flatteur à cette plaisanterie du cardinal.*

LAS CASAS. – Que n'a-t-on pas dit à leur sujet ? Qu'ils étaient les habitants de la Chine, ou une tribu perdue d'Israël, les gardiens redoutables des pommes d'or des Hespérides [1], les descendants de Jason [2], les esclaves des Titans [3], les corps
315 ressuscités des chrétiens d'autrefois ! Et quoi encore ? Des hommes-chiens, des mangeurs de pierre ! Et que certains de leurs oiseaux parlaient des langues humaines, des langues d'avant la tour de Babel [4] !

LÉGAT. – Oui mais qui sont-ils ? Comment sont-ils ?

320 *Las Casas prend une feuille de papier qu'il lit en la tenant à bonne distance de ses yeux.*

LAS CASAS. – Comme l'a dit Christophe Colomb lui-même, le premier qui les rencontra : «Je ne peux pas croire qu'il y ait au monde meilleurs hommes [5]. »

325 LÉGAT. – C'est-à-dire ?

---

1. *Hespérides* : dans la mythologie grecque, nymphes qui veillaient sur un jardin – gardé par un dragon – dont les arbres produisaient des pommes d'or ayant la vertu de rendre les hommes immortels.

2. *Jason* : dans la mythologie grecque, roi qui prit le commandement des Argonautes pour conquérir la Toison d'or.

3. *Titans* : divinités grecques primitives qui gouvernaient le monde avant Zeus et les dieux olympiens, par qui ils furent vaincus.

4. *Tour de Babel* : dans la Bible (Genèse, 11, 1-9), il s'agit d'une tour que les hommes construisirent pour se rapprocher des cieux. Avant son édification, les hommes partageaient tous la même langue. Mais Dieu, pour punir leur orgueil, introduisit parmi eux la diversité des langues et anéantit ainsi leur effort insensé.

5. Christophe Colomb a rapporté ses impressions et ses expériences du Nouveau Monde dans son *Journal de bord* (1492-1493) et dans ses lettres adressées aux autorités espagnoles (1493-1506).

Las Casas. – Ils sont beaux, éminence, de belle allure. Ils sont pacifiques et doux, comme des brebis. Sans convoitise[1] du bien d'autrui. Généreux, dépourvus d'artifice[2].

Légat. – Ils vous ont fait toujours bon accueil ?

30 Las Casas. – Toujours.

Légat. – Sans duplicité[3] ? Sans traîtrise ?

Las Casas. – Avec la plus totale ingénuité[4]. Ils sont incapables de mensonge. C'est pourquoi ils tombent dans nos pièges. Je ne peux pas mieux dire : ils étaient comme l'image du paradis 35 avant la faute[5].

Un autre sourire furtif passe sur le visage du philosophe.

Légat. – Est-ce qu'ils vous paraissent intelligents ?

Las Casas. – À coup sûr ils le sont.

Légat. – De la même intelligence que nous ?

40 Las Casas. – Oui, sans aucun doute.

Légat. – Pourtant, ils paraissent parfois très ignorants, ils ont été impressionnés par des présages[6].

Supérieur. – L'empereur du Mexique a même voulu se donner la mort ?

---

1. *Convoitise* : désir de possession.
2. *Dépourvus d'artifice* : dénués de ruse.
3. *Duplicité* : fausseté.
4. *Ingénuité* : innocence.
5. Dans la Bible, Adam et Ève sont chassés du paradis terrestre pour avoir désobéi à Dieu en mangeant le fruit de l'arbre de la connaissance. C'est la Faute originelle (Genèse, 3, 1-24).
6. *Présages* : signes d'après lesquels on croit prévoir l'avenir.

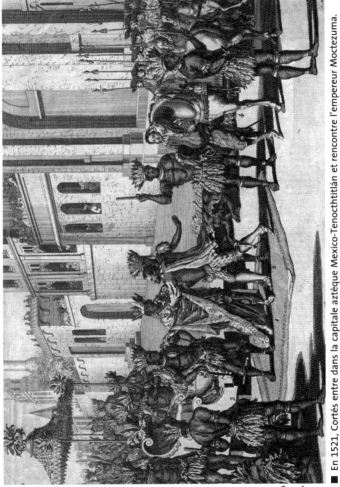

■ En 1521, Cortés entre dans la capitale aztèque Mexico-Tenochtitlán et rencontre l'empereur Moctezuma.

₃₄₅ LAS CASAS. – Moctezuma, oui, on l'a dit.

SUPÉRIEUR. – Pour quelle raison voulait-il mourir ?

LAS CASAS. – Je n'étais pas là. Une antique croyance prédisait que leur plus grand héros reviendrait un jour de l'Orient. Cortés, très habile capitaine, a été informé de cette prophétie[1]. Il en a
₃₅₀ joué, au début. Mais leurs yeux se sont ouverts très vite. Ils ont rapidement compris que les Espagnols ne venaient pas du ciel. Quand Moctezuma vint à la rencontre de Cortés, la première fois, chargé de cadeaux magnifiques, il lui dit : « Je suis de chair et de sang comme vous. De même pour les
₃₅₅ chevaux. »

SUPÉRIEUR. – Quoi, les chevaux ?

LAS CASAS. – Ils ne connaissaient pas cet animal, qui au début les a fort étonnés. Les Espagnols ont tout fait pour les persuader que l'homme et le cheval ne faisaient qu'un. Une sorte de bête
₃₆₀ fabuleuse. Les cavaliers mangeaient et dormaient à cheval. Mais cette ruse non plus n'a pas tenu longtemps.

LÉGAT. – Ils sont capables de sentiments chrétiens ?

LAS CASAS. – Assurément. Ils accueillent favorablement notre foi. Ils la comprennent. Mais quelle image leur en donnons-nous ?
₃₆₅ Que peuvent-ils penser d'un Dieu que les chrétiens, les chrétiens qui les exterminent, tiennent pour juste et bon ? Savez-vous ce qu'un des leurs m'a confié un jour ?

---

1. Toute l'histoire des Aztèques est dominée par la croyance au retour du dieu Quetzalcóatl (souvent représenté par un serpent au corps couvert de plumes). Le déclin de la civilisation toltèque, peuple indien établi au Mexique du Xe au XIIe siècle, dont Tula, la capitale, était assimilée à Quetzalcóatl, fut interprété mythiquement comme un départ du dieu. Lorsque les Espagnols débarquèrent au Mexique, les Aztèques crurent à son retour. Cela explique sans doute la paralysie de Moctezuma devant l'envahisseur.

LÉGAT. – Dites-nous.

LAS CASAS. – Il m'a dit : « Oui, je me sens déjà un peu chrétien
370   parce que je sais déjà mentir un peu. »

SUPÉRIEUR. – C'est une insolence.

LAS CASAS. – Je ne crois pas.

LÉGAT. – Dites-moi maintenant : comment ont-ils réagi aux
atrocités dont vous nous parlez ?

375 LAS CASAS. – Éminence, je vous l'ai dit, leur naturel est si doux, et
nous avons frappé si fort, qu'ils n'ont jamais trouvé la force de
nous résister. Alors ils sont allés vers le désespoir. Les mères
ont tué leurs bébés pour qu'ils ne deviennent pas nos esclaves.
On a même vu grand nombre d'enfants naître morts, à cause
380   de certaines herbes que leurs mères avaient prises. Vous rap-
pelez-vous, éminence, la forte parole de l'Ecclésiaste [1] ?

LÉGAT. – Laquelle ?

LAS CASAS. – Elle fut un choc pour moi quand par hasard, un
jour, elle me tomba sous les yeux : « Le pain des pauvres, c'est
385   leur vie. Celui qui les en prive est un meurtrier [2]. »
Le légat hoche la tête en silence.
Eh bien ces créatures en sont venues à ne plus aimer la vie.
D'ailleurs les hommes n'approchent plus de leurs femmes,
pour ne pas avoir de descendants. En plus, des maladies
390   nouvelles les accablent, que nous leur avons apportées, et
que souvent nous leur transmettons par le viol. Je dis tout
puisque ici nous pouvons tout dire. Oui, ils ont perdu le

---

1. *L'Ecclésiaste* : un livre de l'Ancien Testament, regroupant des sentences à
caractère moral (par exemple, « Vanité des vanités, tout est vanité », 1, 2), tout
comme l'Ecclésiastique cité ci-après.
2. Ecclésiastique, 34, 21.

désir de vivre. On voit tout un peuple immense qui agonise au nom du Christ. Il n'en restera bientôt plus un seul.

395 *Il a prononcé ces dernières phrases avec une émotion très marquée, au point que les mots se nouent dans sa gorge.*

Le légat lui demande encore :

LÉGAT. – Donc, selon vous, frère Bartolomé, ils sont des créatures de Dieu ?

400 LAS CASAS. – Ils sont notre prochain.

LÉGAT. – Les descendants d'Adam et Ève ?

LAS CASAS. – Oui, éminence.

LÉGAT. – Rachetés par le sang du Christ [1] ?

LAS CASAS. – Tout comme nous. Ils sont promis au dernier juge-
405 ment [2] et de même à la vie éternelle.

LÉGAT. – Dans quelles conditions ?

LAS CASAS. – Ce n'est pas à moi d'en décider. Mais ce paradis qui leur a été ravi sur cette terre, je ne voudrais pas qu'ils en soient privés dans l'au-delà.

410 *Le légat semble réfléchir pendant quelques secondes, puis il se tourne vers l'autre côté, vers Sépulvéda, et lui demande :*

LÉGAT. – Professeur, désirez-vous intervenir maintenant ?

Sépulvéda se lève et répond avec courtoisie, parlant pour la première fois :

---

1. Rachetés par le sang du Christ : selon les chrétiens, c'est en donnant librement sa vie que Jésus-Christ rachète la faute originelle d'Adam et Ève. Ainsi permet-il le salut des hommes (également désigné par le mot « rédemption »).

2. Dernier jugement : le « dernier jugement », ou « Jugement dernier », est le Jugement que le Christ réservera aux vivants et aux morts ressuscités quand viendra la fin du monde (voir, notamment, l'Évangile de Matthieu, 25, 31-46).

SÉPULVÉDA. – S'il plaît à Votre Éminence.

415 *D'un geste, le cardinal lui fait signe qu'il peut prendre la parole. Sépulvéda s'adresse directement à Las Casas :*
Puis-je vous poser quelques questions ? C'est pour essayer de comprendre.

LAS CASAS. – Je vous en prie.

420 SÉPULVÉDA. – N'avez-vous pas senti, très jeune, une attirance pour les nouvelles terres ?

LAS CASAS. – J'y suis parti à dix-huit ans [1].

SÉPULVÉDA. – N'avez-vous pas été, plus tard, le premier prêtre à être ordonné [2] dans le Nouveau Monde ?

425 LAS CASAS. – J'ai eu cet honneur.

SÉPULVÉDA. – N'avez-vous pas tenté vous-même, à plusieurs reprises, de fonder une colonie ? De grouper des indigènes et des Espagnols autour de vous et de les faire travailler ?

LAS CASAS. – J'ai essayé. À Cumana, en particulier.

430 *Sépulvéda lit quelque chose sur un papier.*

SÉPULVÉDA. – Et ce territoire de la Vraie Paix ?

LAS CASAS. – C'était plus tard, au Guatemala.

SÉPULVÉDA. – Donc, après votre ordination ?

LAS CASAS. – Oui.

435 SÉPULVÉDA. – Chaque fois, si j'en crois vos déclarations, vous envisagiez une conquête pacifique ?

---

1. *J'y suis parti à dix-huit ans* : voir présentation, p. 10.
2. **Ordonné** : consacré par l'ordination, cérémonie religieuse au cours de laquelle un chrétien devient diacre, prêtre ou évêque.

LAS CASAS. – Je déteste le mot « conquête ».

SÉPULVÉDA. – Et pourquoi donc ?

LAS CASAS. – Il évoque pour moi des entrailles éparpillées, des
440 terres volées, des militaires triomphants. Je préfère
« évangélisation [1] », « civilisation ».

SÉPULVÉDA. – Donc, il s'agissait d'une pénétration pacifique ?

LAS CASAS. – Exclusivement menée par des religieux. Sans aucune
arme.

445 SÉPULVÉDA. – À Cumana, n'est-il pas vrai qu'un échec sanglant
s'ensuivit [2] ?

LAS CASAS. – Mes associés espagnols se sont révélés des loups
enragés. Une fois de plus.

SÉPULVÉDA. – N'est-il pas étrange que la faute en revienne tou-
450 jours aux Espagnols ?

LAS CASAS. – Que voulez-vous dire : « étrange » ?

SÉPULVÉDA. – Je vous écoutais parler, je vous regardais, et une
chose me devenait claire, que je soupçonnais d'après vos
écrits.
455 *(Il montre des livres sur sa table.)*
Depuis le début, ces peuplades vous ont fasciné et séduit.
Pourquoi ? Je ne sais pas. Mais on voit bien que vous parlez
avec excès.

LAS CASAS. – Je parle de ce que j'ai vu. L'excès est dans les faits, il
460 n'est pas dans mes paroles.

---

1. *Évangélisation* : action de prêcher l'Évangile pour convertir les peuples
au christianisme.
2. *Un échec sanglant s'ensuivit* : voir présentation, p. 10.

SÉPULVÉDA. – Cependant, vous savez que des voyageurs très raisonnables, et qui comme vous sont allés là-bas, ont rapporté des souvenirs tout à l'opposé des vôtres.

LAS CASAS. – Il y a des menteurs partout.

465 SÉPULVÉDA. – Traiter l'autre de menteur peut être une insulte, ce n'est jamais un argument.

Sépulvéda regarde le légat, qui l'approuve d'un hochement de tête. Le philosophe vient de marquer un point.

LAS CASAS. – Vous avez raison, professeur. D'ailleurs, j'ai été
470 moi-même un menteur. Je me suis menti à moi-même. Je ne voulais pas voir la réalité, jusqu'à ce jour de la Pentecôte [1], là-bas, où Dieu arrêta mes yeux sur un passage du Livre saint, où il est dit qu'offrir un sacrifice tiré de la substance du pauvre, c'est comme sacrifier un fils en présence de son
475 père [2]. Alors j'ai vu tout ce que jusqu'alors je me cachais.

SÉPULVÉDA. – Il n'empêche que ces témoins, quand ils parlent de vous, disent que parfois vous perdez la tête.

LAS CASAS. – *(Au cardinal.)* Si j'ai perdu la tête, éminence, pour-quoi m'a-t-on appelé ici ? Pourquoi sollicite-t-on mon avis ?
480 Qu'est-ce que je fais parmi vous, si je suis fou ?

SÉPULVÉDA. – Non, je vous tiens pour un homme à l'esprit sain. Mais le propre de l'erreur est de se prendre pour la vérité, nous le savons tous. Et quelque chose en vous s'est brouillé, voilé, s'est dévié de la vérité. Ces Indiens dont vous nous
485 parlez, vous avez été aveuglé sur leur véritable nature.

LAS CASAS. – Par exemple ?

---

1. *Pentecôte* : fête chrétienne qui commémore la descente du Saint-Esprit sur les apôtres et se célèbre cinquante jours après Pâques.
2. Ecclésiastique, 34, 20.

SÉPULVÉDA. – Vous dites avec insistance qu'ils sont doux comme des brebis. Mais s'ils sont comme des brebis, alors ils ne sont pas des hommes ! Qui peut dire que l'homme est doux ?

490 LAS CASAS. – Mais le Christ le dit ! Il ne cesse de le dire ! « Si on vous frappe, tendez l'autre joue[1] ! »

SÉPULVÉDA. – Il ne dit pas que nous sommes doux. Il dit que nous devons nous efforcer de l'être. Et il dit aussi : « Je ne suis pas venu apporter la paix, mais l'épée[2] ! » Le Christ aime ce
495 combat ! Il aime cette conquête ! Sinon, croyez-vous qu'il aurait permis ce nouveau massacre des innocents[3] ?

LAS CASAS. – Et pourquoi donc l'a-t-il permis, à votre avis ?

SÉPULVÉDA. – Je vais vous le dire.
    (Une pause.)
500 D'abord, les Indiens méritent leur sort parce que leurs péchés et leur idolâtrie[4] sont une offense constante à Dieu. Et il en est ainsi de tous les idolâtres. Les guerres que nous menons contre eux sont justes.

LAS CASAS. – Mais de quels péchés parlez-vous ? Et pourquoi
505 Dieu, à qui tout est possible, aurait-il échoué dans son entreprise de les convaincre ? Qui est brouillé, ici ? Qui est aveugle ?

---

1. Évangile de Matthieu, 5, 39.
2. *Ibid.*, 10, 34.
3. Sépulvéda fait ici allusion au massacre des Innocents perpétré sur ordre d'Hérode, roi des juifs à l'époque de la naissance du Christ (Évangile de Matthieu, 2, 16). Craignant pour son pouvoir, Hérode, à l'annonce de la venue du Messie, avait demandé la mise à mort de tous les nouveau-nés mâles.
4. *Idolâtrie* : culte rendu à une idole, c'est-à-dire à une statue, une image représentant un dieu, adorée comme si elle était la divinité elle-même.

SÉPULVÉDA. – Je vous pose une question : ce jeune garçon dont vous avez parlé, à qui un soldat perça le ventre, et qui tenait ses entrailles à la main, vous l'avez vu ?

LAS CASAS. – De mes yeux vu.

SÉPULVÉDA. – Et qu'avez-vous fait, dans cette occasion ?

LAS CASAS. – Je l'ai rattrapé, je lui ai vite parlé de Dieu, du Christ, comme je pouvais, je l'ai baptisé, il est mort dans mes bras.

SÉPULVÉDA. – Le salut de son âme vous a donc paru important ?

LAS CASAS. – Évidemment. Je ne pouvais rien sauver d'autre.

SÉPULVÉDA. – *(Au légat.)* Éminence, je retiendrai d'abord ce point-là. Le salut de l'âme.

LÉGAT. – Vous supposez donc qu'ils en ont une, professeur ?

SÉPULVÉDA. – Je reviendrai naturellement sur ce point. Auparavant, il me faut rappeler un certain nombre de faits que l'émotion de mon adversaire a pu masquer.

LÉGAT. – Nous vous écoutons.

SÉPULVÉDA. – Je pose d'abord la question générale. N'est-il pas établi, n'est-il pas parfaitement certain que tous les peuples de la terre, sans exception, ont été créés pour être chrétiens un jour ?

LÉGAT. – Oui, cette vérité est établie.

SÉPULVÉDA. – Et que nous devons tout faire pour les mener à la vraie foi ?

LÉGAT. – Cela ne peut pas se discuter.

SÉPULVÉDA. – Tous les êtres humains sont prédestinés à être chrétiens un jour. Même les ignorants, même les barbares. Ils
535 font tous partie du corps mystique du Christ, car la religion chrétienne est une voie universelle. Elle est le plus haut bienfait qu'on puisse apporter à chacun des peuples, puisqu'elle assure le salut éternel[1]. N'est-ce pas vrai ?

Il s'est adressé au légat, qui répond :

540 LÉGAT. – C'est véritablement vrai. Nos frères franciscains[2] soutiennent même que le règne de Dieu sur la terre est proche, que le bonheur céleste va bientôt se manifester.
(Au supérieur.)
N'est-ce pas ?

545 SUPÉRIEUR. – Oui, dès que les derniers infidèles seront convertis. C'est à peu près sûr. Notre victoire sur les Maures[3] fut une première preuve de la bonne grâce de Dieu. La facilité avec laquelle les nouvelles terres ont été conquises est un autre signe, très clair. Dieu a décidé de poser sa main sur la terre.

550 *Las Casas se dresse :*

LAS CASAS. – Mais comment les Indiens pourraient-ils croire que nous agissons au nom de Dieu ? Partout ils nous appellent *yarès*, ce qui signifie « démons ». Pour eux, c'est nous qui venons de l'enfer et qui avons le diable pour maître !

---

1. *Salut éternel* : voir note 1, p. 39.
2. *Franciscains* : religieux de l'ordre créé au début du XIIIe siècle par saint François d'Assise, en réaction à la puissance grandissante de l'argent dans la société ecclésiastique et laïque, vivant de l'aumône et de leur travail et prêchant de ville en ville.
3. Allusion à la Reconquête de l'Espagne par les chrétiens, qui commença au XIe siècle – trois siècles après l'invasion du pays par les musulmans (les « Maures »).

LÉGAT. – Vous le croyez ? Frère Bartolomé, vous croyez très sincèrement que les Espagnols sont des démons ?

LAS CASAS. – Les Indiens le croient.

LÉGAT. – Mais vous-même ?

LAS CASAS. – Éminence, sur ces terres lointaines, quelque chose de démoniaque s'est emparé des conquérants. Ils sont devenus des démons, oui, je le crois.

LÉGAT. – Des démons ?

LAS CASAS. – Lorsque les Maures nous envahissaient, ne disions-nous pas qu'ils étaient des démons, des agents du diable ?

LÉGAT. – Nous le disions à juste titre.

SUPÉRIEUR. – Nous le disions aussi des Turcs.

LAS CASAS. – Et pourtant les guerres que nous menons là-bas sont pires que celles que les Turcs et les Maures ont menées contre nous. Si bien que la foi que j'apporte apparaît comme travestie. Quel rapport a l'Évangile avec les bombardes[1] ? Comment puis-je prêcher ? Comment puis-je leur parler de douceur et de charité ? Comment apporter la consolation de la vie éternelle à ceux que nous privons de la vie présente ? Au lieu de les convaincre, à cause du sang qui nous accompagne, nous contrecarrons le dessein de Dieu !

Un court silence, puis le légat demande à Las Casas :

LÉGAT. – Puisque vous dites que les indigènes sont nos semblables, ils sont donc aussi des démons ?

---

1. *Bombardes* : au Moyen Âge, machines de guerre qui servaient à lancer des boulets.

LAS CASAS. – Éminence, pardonnez-moi, je ne peux pas recevoir
580   cet argument. Il est mal articulé.

LÉGAT. – Eh bien, redressez-le.

LAS CASAS. – De part et d'autre ils sont des hommes. Mais les
nôtres sont devenus des démons. Dès qu'ils ont vu de l'or.
Dès qu'on leur a donné des esclaves. La soif de l'or et de la
585   conquête les a transformés en démons.

Le légat hoche la tête, n'insiste pas et se tourne vers Sépulvéda :

LÉGAT. – Continuez, professeur.

Sépulvéda remercie d'un signe de tête et reprend :

SÉPULVÉDA. – Tous les peuples de la terre sont donc destinés à
590   être chrétiens. À être touchés par la parole du Christ. Or voici
que nous découvrons une population inconnue qui n'a jamais
entendu parler de Notre-Seigneur, de la rédemption [1], de la
Croix !

LAS CASAS. – Ah mais si ! On a trouvé des traces, des croix, des…

595   *Sépulvéda élève vivement la voix, pour la première fois :*

SÉPULVÉDA. – Non ! Rien de sérieux ! Vous vous êtes vainement
efforcé de prouver que ce continent avait été visité par un des
apôtres ! C'est faux ! Et vous le savez ! Jamais la parole du
Christ n'a été portée sur ces terres ! Ce qui signifie quoi ?

600   *Las Casas veut parler. Le cardinal le fait taire d'un geste assez sec, en*
frappant de la main sur la table.
Ce qui signifie qu'il ne s'agit pas de créatures reconnues par
Dieu ! Et je vais le prouver. D'abord, comme on l'a dit, par
l'extrême facilité de l'action : trois cents Espagnols soumettent
605   un empire fort de vingt millions d'habitants, et on n'y verrait

---

1. Rédemption : voir note 1, p. 39.

pas la main de Dieu ? Aucun exploit, dans aucun temps, n'a pu se comparer à cette conquête ! Même la maladie était de notre côté ! L'épidémie de petite vérole[1] fut le travail de Dieu pour éclaircir la route. Les idolâtres mouraient comme des punaises, car Dieu désirait les éliminer. Aujourd'hui, forcés de démolir leurs temples, à Mexico, ils tombent chaque jour nombreux, broyés sous les pierres : comment ne pas y voir une punition divine ? De même pour les mines ! Je sais bien que cela peut parfois ressembler à de la cruauté humaine, mais comment expliquer que les indigènes obéissent si aisément aux Espagnols ? Ne sont-ils pas pliés par la main de Dieu et comme déjà jetés dans l'enfer ?

Le supérieur du couvent lève la main, montrant qu'il veut prendre la parole. Le légat la lui accorde d'un geste.

620 SUPÉRIEUR. – On a dit aussi que dans les mines ils meurent victimes de leur libertinage[2], de leurs pratiques sodomites…

Las Casas ne peut pas se contenir. Il se dresse de nouveau et s'écrie :

LAS CASAS. – Mais qu'est-ce que j'entends ? Leur libertinage ? Dans les mines ? Mais je dors ou je suis éveillé ?

625 LÉGAT. – Frère Bartolomé…

Il fait un signe à Sépulvéda, mais Las Casas s'avance, renonçant à se taire, et continue :

LAS CASAS. – Ces fables affreuses, on me les a servies mille fois ! Qu'ils avaient construit des mosquées en l'honneur de Satan ! Qu'ils y adoraient des phallus dressés ! Qu'ils se couchaient les jambes en l'air et se faisaient introduire du vin dans le cul

---

1. Petite vérole : maladie grave, infectieuse, épidémique et contagieuse, caractérisée par l'éruption de pustules sur la peau.
2. Libertinage : débauche, licence en matière de comportement sexuel.

par une canule[1] ! Alors que la pédérastie[2], chez les Aztèques, était très gravement punie ! Punie de mort, même ! Du libertinage dans les mines ! Mais ces mines sont des trous dans la
635 terre chaude ! Vous descendez vivant, vous remontez cadavre. Du libertinage ! Éminence, est-ce que je dois rire ou pleurer ? Qu'on me le dise !

LÉGAT. – Taisez-vous, en tout cas !
(À Sépulvéda.)
640 Professeur…

Sépulvéda réagit sur le même ton, très vigoureusement, un doigt tendu vers Las Casas :

SÉPULVÉDA. – Ne cherchez pas à me détourner de mon propos. Je disais que l'histoire des hommes est menée par Dieu.
645 Personne n'en doute. Sachons deviner la main invisible quand elle s'exerce. Or, jamais vous n'avez pu expliquer l'absence du Christ sur ces terres ! Jamais ! Vous avez cherché mille détours, vous êtes allé jusqu'à mentir, jusqu'à falsifier des vestiges ! Certains de vos amis ont fabriqué des fausses
650 croix, avec du vieux bois, pour faire croire à un passage des apôtres ! Mais ici l'intention de Dieu est claire. Ces créatures à l'apparence humaine ne font pas partie de Son peuple. La bonne nouvelle n'a pas été dite pour eux.

LAS CASAS. – Comment osez-vous les exclure de la promesse ?
655 Mais le Christ est venu pour toutes les nations ! Il l'a dit lui-même ! Vous prétendez reconnaître partout les signes de Dieu, qu'est-ce que ça veut dire ? Ça veut dire : ne voir que les signes qui nous sont favorables ! Évidemment ! Mettre Dieu de notre côté ! Dire : Dieu, c'est mon intérêt ! C'est ce
660 qui justifie mes crimes !

---

1. *Canule* : petit tuyau.
2. *Pédérastie* : ici, homosexualité.

Le cardinal se lève, et parle fermement :

LÉGAT. – Vous allez cette fois trop loin. Personne ici ne peut douter du choix de Dieu ! Je vous demande catégoriquement de vous taire !

665 *(À Sépulvéda.)*

Reprenez, professeur.

Sépulvéda reprend la parole. Il s'adresse toujours directement à Las Casas :

SÉPULVÉDA. – Assimiler les Espagnols à des démons, mais quelle
670 aberration ! Quelle folie ! Les indigènes ont reconnu eux-mêmes que les conquérants leur étaient envoyés par quelque force supérieure ! Ils en étaient sûrs ! Depuis le début ! Et faire des Indiens des innocents ! Mais comment vous suivre ? Eux qui sacrifiaient à leurs idoles des milliers, des dizaines de
675 milliers de victimes ! Quatre-vingt mille pour la seule inauguration du grand temple de Mexico !

LAS CASAS. – Le chiffre est loin d'être prouvé !

SÉPULVÉDA. – Mais c'est le plus barbare, le plus sanglant des peuples ! Sodomites, oui, et cannibales ! Vous avez oublié de
680 le rappeler ! Ils allaient, a-t-on dit, « le ventre gonflé de chair humaine » ! Ils ont tué des Espagnols et ils les ont mangés ! Et certains, pour danser, revêtaient des peaux de chrétiens ! Et vous parlez d'un paradis ? Vous dites qu'ils ne savent pas mentir ? Mais ils vous ont trompé ! Continuellement ! Dès
685 qu'un peuple sait parler, il sait mentir ! Ces Indiens sont des sauvages féroces ! Non seulement il est juste, mais il est nécessaire de soumettre leurs corps à l'esclavage et leurs esprits à la vraie religion !

Las Casas prend une note rapide.

690 *Sépulvéda change de ton, s'adresse au légat :*

■ Scène d'anthropophagie au Brésil par Théodore de Bry (1528-1598).

À supposer même l'absurde, à supposer qu'ils soient innocents, notre guerre ne serait-elle pas justifiée, une guerre
menée pour protéger des innocents contre des chefs tyranniques, qui mettaient à mort leurs hommes pour les dévorer ?

695 LÉGAT. – Je le répète, professeur, nous ne sommes pas ici pour
parler de la guerre ! Nous pourrions discuter longtemps pour
savoir qui sont les chefs tyranniques, et qui les innocents.

SÉPULVÉDA. – Je l'admets.

LÉGAT. – Innocents qui jamais ne nous appelèrent à leur secours.

700 SÉPULVÉDA. – Mais qui acceptèrent qu'on les libérât.

LÉGAT. – Mais où commence, et où s'achève, ce droit que nous
nous donnons d'intervenir chez l'étranger ? Comment distin-
guer ces sacrifices, par exemple, d'une condamnation à mort ?
Lorsque des actes à nos yeux criminels se commettent dans
705 d'autres pays, soumis à d'autres lois, adorant d'autres dieux,
devons-nous donc toujours intervenir avec nos armes ? Parce
que nous adorons le vrai Dieu, sommes-nous nécessairement
chargés de la police de la Terre ?

SÉPULVÉDA. – Oui, éminence, je le crois. Et de nombreuses
710 autorités me le confirment.

LÉGAT. – Méfions-nous. Le péché est subtil. Il naît souvent de la
vertu, ou d'une action qu'on croit indifférente. Certains
disent, vous le savez, qu'on ne peut obliger homme au
monde, par la force, à changer sa foi. Que nous avons pour
715 mission d'évangéliser les âmes, mais en respectant les corps et
les biens. Laissons donc de côté la conquête, qui est chose du
passé. Nous sommes ici pour décider enfin de la nature des
Indiens. S'ils ont une âme semblable à la nôtre.

SUPÉRIEUR. – S'ils peuvent prétendre au paradis.

LÉGAT. – Professeur, donnez-moi clairement votre opinion.

SÉPULVÉDA. – Aristote l'a dit très clairement : certaines espèces humaines sont faites pour régir et dominer les autres[1].

LÉGAT. – À votre avis, c'est ici le cas ?

SÉPULVÉDA. – Voulez-vous des preuves de l'infériorité des Indiens ?

LÉGAT. – Ces preuves sont indispensables.

SÉPULVÉDA. – D'abord, depuis leur découverte, ils se sont montrés incapables de toute invention. Ils sont uniquement habiles à copier les gestes des Espagnols, leurs supérieurs, ce qui caractérise une âme d'esclave.

LAS CASAS. – Mais on nous chante une vieille chanson ! César racontait la même chose des Gaulois qu'il asservissait ! Habiles à imiter les techniques romaines ! Et tous les envahisseurs ont fait de même ! César ne voulait pas voir les coutumes, les croyances et même les outils des Gaulois ! Et nous faisons de même ! Nous ne voyons que ce qu'ils imitent de nous ! Le reste, ça n'existe pas ! Bonne raison pour le détruire !

LÉGAT. – *(À Sépulvéda.)* Nous sommes habitués, depuis l'enfance, à préférer nos propres usages, qui nous semblent supérieurs aux autres.

SÉPULVÉDA. – Sauf quand il s'agit d'esclaves-nés, éminence. Les Indiens ont voulu presque aussitôt acquérir nos armes et nos vêtements. Et je pourrais citer tant d'autres signes !
(Il prend une de ses notes et lit.)

---

1. Voir Aristote, *La Politique*, 1254b ; et présentation, note 1, p. 9.

Ils ignorent l'usage du métal, des armes à feu et de la roue. Ils portent leurs fardeaux sur le dos, comme des bêtes, pendant de longs parcours. Leur nourriture est détestable, semblable à celle des animaux. Ils se peignent grossièrement le corps et
750   adorent des idoles affreuses. Je ne reviens pas sur les sacrifices humains. J'ajoute qu'on les décrit stupides comme nos enfants ou nos idiots. Ils se marient très fréquemment. Ils ignorent la nature de l'argent et n'ont aucune idée de la valeur des choses. Ils échangeaient le verre cassé des barils contre de
755   l'or !

Las Casas ne peut se retenir d'intervenir :

LAS CASAS. – Eh bien ? Parce qu'ils n'adorent pas l'or et l'argent au point de leur sacrifier corps et âme, est-ce une raison pour les traiter de bêtes ? N'est-ce pas plutôt le contraire ?

760   LÉGAT. – Frère Bartolomé, vous aurez de nouveau la parole. Rien ne sera laissé dans l'ombre. Mais pour le moment…

LAS CASAS. – *(À Sépulvéda.)* Et pourquoi jugez-vous leur nourriture détestable ? Y avez-vous goûté ?

SÉPULVÉDA. – Ils mangent des œufs de fourmi, des tripes d'oi-
765   seau…

LAS CASAS. – Nous mangeons des tripes de porc ! Et des escargots !

SÉPULVÉDA. – Ils se sont jetés sur le vin…

LAS CASAS. – Et nous avons tout fait pour les y encourager !

770   LÉGAT. – Frère Bartolomé, je vous demande le silence !
Las Casas se tait. Le cardinal s'adresse à Sépulvéda :
Selon vous, la possession et l'usage des armes à feu seraient une preuve de la protection divine ?

SÉPULVÉDA. – Une preuve très évidente.

775 LÉGAT. – Cependant, les Maures possèdent des armes à feu et s'en servent très bien contre nous.

SÉPULVÉDA. – Ils les ont copiées sur les nôtres.

LÉGAT. – Autre chose : vous rapportez les sacrifices sanglants qu'ils font à leurs dieux.

780 SÉPULVÉDA. – Oui, des dieux cruels, horribles, à l'image même de ce peuple !

LÉGAT. – Oui, oui, il s'agit bien d'une horreur démoniaque. Nous sommes d'accord. Mais s'ils ne sont pas des êtres humains du même niveau que le nôtre, s'ils sont proches des animaux, 785 peut-on leur reprocher ces sacrifices ? Vous voyez ce que je veux dire ?

SÉPULVÉDA. – Je reconnais la subtilité de Votre Éminence.

Le philosophe paraît quelque peu désarçonné.
Pour la première fois, on aperçoit une espèce de sourire sur le visage de 790 *Las Casas.*
Le légat insiste à enfoncer son clou :

LÉGAT. – On ne peut leur reprocher des sacrifices humains que s'ils sont humains.

Sépulvéda, se sentant en difficulté, contre-attaque :

795 SÉPULVÉDA. – Je ne nie pas leur condition humaine. Ce serait absurde. Je dis simplement qu'ils sont au plus bas étage de cette condition. Au sens où Aristote l'entend. Je dis que leur ignorance et leur naïveté n'ont pas de mesure. Ils offrirent des volailles aux chevaux, car ils pensaient que les chevaux par- 800 laient, qu'ils donnaient des conseils aux cavaliers ! Ils croyaient que les Espagnols étaient nés adultes, sans mère, avec leurs habits et leurs armes, et qu'ils étaient immortels !

Ils prenaient la croix pour un dieu ! Et la messe pour une pratique magique !

805 LAS CASAS. – On ne faisait rien pour les détromper.

SÉPULVÉDA. – Lorsque arrivèrent les religieux, qui eux ne demandaient pas d'or, les Indiens furent épouvantés par leur pauvreté. Ils racontaient même que les moines étaient des morts, oui, des cadavres animés, et que la nuit ils abandon-
810 naient leurs robes pour rejoindre leurs femmes en enfer ! Et revenir au petit matin !

Sépulvéda est en train de reconquérir le terrain perdu.
Mais Las Casas bondit :

LAS CASAS. – Et nous ? N'étions-nous pas naïfs et ignorants ?
815 N'allions-nous pas chercher des sirènes et des amazones[1] ? Des hommes avec la tête dans la poitrine ? Des pygmées[2] se drapant dans les plis de leurs oreilles ? Éminence, le monde est plein de rêves et de rumeurs. Ce continent nous était inconnu. Il a grandi dans l'isolement, depuis peut-être des
820 milliers d'années. De là nos yeux éblouis, nos visions ! La rencontre a stupéfié tout le monde.

SÉPULVÉDA. – Et savez-vous pourquoi ? Parce que rien n'était semblable ! Même les animaux, même les plantes étaient d'espèces différentes ! Ils n'avaient ni bœuf, ni mouton ! Ni
825 lion, ni girafe. Nous n'avions ni jaguar, ni colibri[3]. Et ainsi de suite. Pourquoi, dans deux mondes si divergents, les êtres à l'apparence humaine seraient-ils les seuls à être semblables ?

---

1. *Amazones* : dans la mythologie grecque, femmes guerrières qui se mutilaient un sein pour mieux tirer à l'arc et qui, ne tolérant pas la présence des hommes, tuaient leurs enfants mâles à la naissance ou les gardaient comme esclaves.

2. *Pygmées* : peuple fabuleux de nains vivant près des sources du Nil.

3. *Colibri* : oiseau des climats tropicaux, très petit et à long bec.

Le légat et le supérieur réfléchissent à cette habile question.
Sépulvéda renchérit, à l'adresse du cardinal :

330 Éminence, tout indique que Dieu les a désignés à notre pouvoir. Il a attendu que notre victoire sur les Maures fût complète avant de nous guider vers ces rives nouvelles. Et il a voulu nous les soumettre. Il a donné aux indigènes un esprit faible, incapable de comprendre les choses les plus simples, comme la
335 rédemption[1] du Christ ou le pardon de la confession[2].

LAS CASAS. – C'est ce que vous appelez les choses les plus simples ?

SÉPULVÉDA. – Ils n'ont aucune activité de l'esprit, aucune idée de l'art !

340 LAS CASAS. – Mais je ne peux pas laisser dire ça ! Aucune activité de l'esprit ! Mais en ce moment même, à Mexico, les franciscains[3] ont ouvert un collège, où les fils des princes aztèques reçoivent notre éducation ! Et ils ont les mêmes dispositions, les mêmes résultats que les Espagnols ! Ils font même des vers
345 latins !

SÉPULVÉDA. – Vous avez bien dit : les fils de princes. Supposez-vous que là-bas aussi existeraient des catégories supérieures ? Qu'ils ne seraient pas tous du niveau le plus bas ?

LAS CASAS. – Les autres ne sont pas admis dans nos collèges. Et
350 vous dites aussi : aucune idée de l'art ! Comment affirmer que leur expression est très inférieure à la nôtre, sinon pour nous donner le droit de la détruire ? Car c'est ce que nous faisons, depuis le début ! Nous brûlons leurs écritures ! Nous cassons

---

1. *Rédemption* : voir note 1, p. 39.
2. À l'issue de la confession, c'est-à-dire de l'aveu des péchés, le prêtre donne l'absolution, le pardon, ou inflige une pénitence, une peine destinée à expier les fautes.
3. *Franciscains* : voir note 2, p. 45.

leurs statues ! Nous barbouillons leurs fresques ! Et quelle
architecture ! Avant que nous abattions toutes leurs villes,
Cortés écrivait au roi d'Espagne qu'il n'avait rien vu d'aussi
beau sur ses terres ! Il disait exactement…

(Il saisit une feuille et lit.)

« Rien de comparable en Espagne », « la plus belle chose du
monde »… Et que dire de cette phrase : « Quelques-uns d'entre
nous se demandaient si ce que nous voyions là n'était pas un
rêve… » Un rêve…

SÉPULVÉDA. – Le conquérant qui a besoin de renforts ne voit pas
de failles à sa conquête.

LAS CASAS. – Et tout était loin d'être différent ! Mêmes divisions
administratives, même coutume de donner à la famille le nom
de son chef, même châtiment pour les traîtres !

*(Il saisit d'autres papiers, où l'on voit des reproductions des codex[1]
aztèques.)*

Et leur système d'irrigation ? Et leur écriture ? Et leur
arithmétique ? Et leur habileté au dessin ? Et leur avancée
dans la médecine, où ils savaient lutter mieux que nous contre
la douleur ! Et leur connaissance du ciel, leur calendrier qu'on
dit plus précis que le nôtre !

Sépulvéda semble rejeter cette affirmation d'un geste et d'un sourire.

Comment des barbares sans Dieu ont-ils accompli tant de
choses ? Et l'organisation de leur société ? Et leur système
d'impôts ? Et leurs parcs d'animaux sauvages : mais nous
n'avons rien de semblable en Europe ! Absolument rien !

(Il jette ses papiers un peu partout. Il est très agité. À Sépulvéda.)

Et vous allez prétendre que la guerre que nous leur faisons est
juste ! Mais pendant des siècles, parlant des musulmans, nous
avons dit que leur guerre sainte est une infamie ! Et

---

1. Codex : textes officiels.

maintenant nous ferions de même ? Aucune guerre ne peut
885   être sainte quand elle entraîne le massacre et l'esclavage.

LÉGAT. – Les Indiens avaient donc raison de s'opposer à nous ?

LAS CASAS. – Éminence, ils étaient dans leur droit.

Profitant d'un moment de calme dans le déferlement de Las Casas,
Sépulvéda demande au prélat :

890   SÉPULVÉDA. – Éminence, je crois que vous n'avez jamais fait le
        voyage aux Nouvelles Indes ?

LÉGAT. – Non, je n'ai pas le pied très navigateur.

SUPÉRIEUR. – Moi non plus.

SÉPULVÉDA. – Pour que cependant vous puissiez vous faire une
895   idée de leur « art », j'ai fait venir de là-bas une de leurs idoles
        en pierre sculptée. Puis-je vous la montrer ?

LÉGAT. – Maintenant ?

SÉPULVÉDA. – Puisque nous en parlons.

LÉGAT. – Soit.

900   SÉPULVÉDA. – De cette façon, vous pourrez apprécier sur pièce.
        Il se dirige vers le cloître et fait un signe. Un homme apparaît, un
        serviteur noir, qui tire un chariot sur lequel est posé un objet recouvert
        d'une bâche.
        Arrête-toi ici. Enlève la bâche.
905   *Le serviteur obéit et fait apparaître la tête sculptée d'un serpent à*
        plumes. Sculpture violente, colorée, très stylisée, totalement insolite en
        ce lieu, menaçante.
        Il s'agit d'un de leurs dieux qu'ils appellent le serpent à
        plumes [1].

---

1. *Le serpent à plumes* : voir note 1, p. 37.

Le cardinal et le supérieur se lèvent.

SUPÉRIEUR. – C'est une idole ?

SÉPULVÉDA. – Oui.

LÉGAT. – Et ils l'adorent ?

SÉPULVÉDA. – Oui. Dans tous leurs temples. Des temples qui
915   dégagent une affreuse odeur de charnier[1]. Voici les monstres
devant lesquels ils se prosternent, devant lesquels les prêtres,
si on peut employer ce mot, ouvraient la poitrine des hommes
vivants d'un coup de couteau en pierre et y plongeaient la
main pour arracher leur cœur saignant !

920   *Le cardinal descend de l'estrade pour voir la sculpture de près. Le*
supérieur du couvent se précipite, au moment où le légat met le pied sur
les marches.

SUPÉRIEUR. – Attention, éminence…

Le cardinal évite la marche dangereuse, aidé par le supérieur, et
925   *s'approche de la sculpture, qu'il regarde un instant avant de constater :*

LÉGAT. – C'est en effet très laid.

Le supérieur approuve aussitôt le légat.

SUPÉRIEUR. – C'est affreux. C'est réellement repoussant.

SÉPULVÉDA. – Comment comparer cette pierre aux chefs-d'œuvre
930   des Italiens ? Ou de Berruguete[2] ? Le sauvage n'a pas le sens
du beau, nous le savons. Esclave de naissance, l'accès à la
beauté lui est par nature interdit.

---

1. Charnier : lieu où sont entassés des cadavres.
2. Berruguete *(Alonso)* : cet artiste espagnol (v. 1488-1561) travailla comme
peintre pour Charles Quint mais s'illustra surtout comme sculpteur. Le long
séjour qu'il fit en Italie lui permit de découvrir l'œuvre des grands maîtres de la
Renaissance italienne (Léonard de Vinci, Michel-Ange, Donatello).

LÉGAT. – *(À Las Casas.)* Et ils tiennent ceci pour de la belle sculpture ?

935 *La réponse de Las Casas – qui a été pris de court par le coup théâtral de son adversaire – est assez embarrassée. Il s'écrie, en cherchant dans ses papiers des documents qu'il montre et tente de faire circuler :*

LAS CASAS. – Éminence, ceci n'est qu'un exemple ! Un fragment, arraché d'un temple ! Ils font aussi des tissus, des fresques,
940 des figurines en terre cuite… Ils façonnent des pierres dures… On ne peut pas comparer ce qui ne se compare pas ! Ils ont de véritables artistes ! Avec les plumes d'oiseau, par exemple, ils…

Le légat lève la main d'un geste autoritaire, fermant la bouche à Las Casas.

945 LÉGAT. – Nous allons nous arrêter aux plumes, frère Bartolomé. Vous vous êtes très échauffé, vous avez besoin de quelque repos. Moi-même, il me faut réfléchir. Nous reprendrons la dispute demain matin. Prions un moment ensemble, avant de nous séparer.

950 *Il joint les mains et baisse la tête. Il murmure une prière. Tous l'imitent. Le noir se fait.*
Dans le noir, qui ne dure qu'une dizaine de secondes, on entend des cloches du soir, et les voix de moines qui chantent, dans la chapelle. Quand la lumière revient, le légat est seul dans la cellule qui a été
955 *aménagée pour lui. Un repas a été disposé sur une table : pain, jambon, fromages, fruits. Le légat mange distraitement quelques olives, en compulsant des notes. Il est tard.*
Soudain, il entend un bruit derrière lui et sursaute. Un homme est là, en vêtements civils, botté et armé. Il sort de l'ombre. Le légat lui
960 *demande, effrayé :*
Qui êtes-vous ?

COLON. – Éminence, je vous en prie, n'ayez pas peur…

L'homme s'agenouille devant le cardinal, qui le regarde et répète :

LÉGAT. – Qui êtes-vous ?

965 COLON. – Je suis un colon, éminence. Je viens du Mexique, des terres nouvelles… Je vis là-bas.

LÉGAT. – Que faites-vous dans ce couvent ?

COLON. – J'ai été envoyé… Par un groupe d'amis… Nous avons appris que ce débat allait avoir lieu, que vous veniez à
970 Valladolid…

LÉGAT. – Qui vous en a informés ?

COLON. – Éminence, les rumeurs vont vite. Elles traversent l'océan…

LÉGAT. – Relevez-vous.
975 *L'homme lui obéit. Le légat lui montre la table :*
Je n'ai pas faim ce soir. Si le cœur vous en dit…

COLON. – Merci, éminence…

L'homme se met à table. Il mange avec le plus de discrétion possible, mais on voit qu'il a faim.
980 *Le cardinal l'observe.*

LÉGAT. – Vous avez débarqué à Séville ?

COLON. – À Cadix[1], éminence. Nos amis ont payé mon voyage. Je suis venu de Cadix en cinq jours.

LÉGAT. – Et on vous a laissé entrer ?

985 COLON. – J'avais un peu d'or… Je me suis caché là…

LÉGAT. – Vous avez une ferme, là-bas ? Vous l'exploitez ?

---

1. Cadix : ville espagnole située sur la côte, à l'ouest du détroit de Gibraltar.

COLON. – Oui, éminence. Près d'une ville qui s'appelle Puebla. L'évêque m'a donné cette lettre pour vous.

Le cardinal prend une lettre que l'homme lui tend et la regarde tout en lui 990 *demandant :*

LÉGAT. – Vous avez des mines aussi ?

COLON. – Oui, quelques mines. Avec d'autres propriétaires.

LÉGAT. – J'imagine que vous vous inquiétez pour vos revenus ? C'est pour ça que vous êtes ici ?

995 *L'homme hoche la tête, tout en mangeant.*

C'est normal, c'est humain. Si Dieu a placé l'or dans la terre, c'est bien pour que nous le trouvions. Et pour que nous l'utilisions. L'or se trouvait déjà au paradis terrestre. À vrai dire, assez bien caché.

1000 *L'homme est évidemment d'accord.*

Tout a un sens dans la création [1]. Mais quel sens ?

L'homme fait un geste évasif : ce n'est pas à lui de répondre à ces questions-là.

Le cardinal reprend :

1005 Cependant, ne croyez pas que Rome ne soit pas informée de ce qui se passe au Mexique. Nous avons envoyé des émissaires secrets, nous avons leurs rapports précis.

Le colon se hasarde à dire :

COLON. – Éminence, notre situation n'est pas facile.

1010 LÉGAT. – C'est-à-dire ?

COLON. – D'ici, on s'imagine que nous sommes très riches. Mais c'est le contraire. Il a fallu faire de gros efforts pour mettre les terres en culture. Le pays est dur et hostile. Nous y prenons

---

1. *Création* : création du monde par Dieu.

les fièvres. Moi, j'ai un frère qui y est mort. Sans parler des serpents, des scorpions... Et les Indiens n'aiment pas travailler pour nous. Ils essaient tout le temps de s'enfuir, ce qui nous oblige à dresser des chiens. Quelquefois, ils préfèrent mourir, ils se jettent dans des ravins. Mais la vie d'un homme n'est rien, pour eux. On dirait qu'ils se tuent pour passer le temps.

LÉGAT. – Je ne suis pas sûr que quand on est mort le temps passe plus vite.

L'homme essaie de rattraper sa gaffe :

COLON. – Naturellement, nous c'est vivants qu'on les préfère. Morts, ils ne servent plus à rien.

LÉGAT. – Très peu de morts ont une utilité.

COLON. – Nous faisons tout ce que nous pouvons pour eux. Nous les soignons, nous leur montrons nos outils, nous leur apprenons la langue et toute l'histoire d'Espagne. Mais naturellement, on s'inquiète... Si nos conditions doivent changer, si ce qu'on nous a dit n'est plus vrai...

Il s'interrompt car le cardinal vient de lever le doigt pour demander :

LÉGAT. – Vous êtes un bon chrétien ?

COLON. – Certainement, éminence.

LÉGAT. – Vous vous confessez ? Vous recevez la communion [1] ?

COLON. – Chaque semaine, éminence.

---

1. *Recevoir la communion* : communier ; ingérer le pain et le vin qui, selon la doctrine catholique, sont le corps et le sang de Jésus-Christ. Ce sacrement – que l'on appelle aussi « eucharistie » – commémore le sacrifice du Christ. Il constitue le cœur de la messe.

LÉGAT. – L'évêque de Puebla, il se préoccupe des Indiens ?

Le colon ne sait que répondre.

Il pratique la charité ? Il nourrit les familles pauvres ?

1040 COLON. – Oui, je crois, éminence.

LÉGAT. – Bien. Puisque vous êtes un bon chrétien, vous devez faire confiance à l'Église. Elle ne fait rien à la légère et, quoi qu'elle décide, elle a toujours raison. Car Dieu l'assiste.

COLON. – Oui, éminence.

1045 LÉGAT. – Allez chercher un endroit où dormir. Demain, si vous voulez, vous pourrez assister à notre discussion.

COLON. – Et même prendre la parole ?

LÉGAT. – Si je vous le demande. Dieu parle par toutes les voix. Allez.

1050 *L'homme s'incline et sort. Le cardinal se rassied devant ses papiers.*
Le noir revient.
Un moment, comme un rayon de lune, une lumière isolée se pose sur le serpent à plumes, dans la salle de discussion. On entend toujours le chant des moines, qui peu à peu faiblit.
1055 *Les personnages se remettent en place dans la pénombre.*
Les lumières reviennent.
Nous sommes comme au jour précédent, avec les mêmes personnages, auxquels s'est ajouté le colon, qui se tient un peu à l'écart.
Le serpent à plumes est toujours là.
1060 *Le légat prend la parole :*

LÉGAT. – Que la lumière du Seigneur soit avec nous aujourd'hui comme hier.

TOUS. – Amen.

LÉGAT. – Hier le frère Bartolomé a longuement rappelé toutes les
1065 violences de la conquête et compati au sort malheureux des

Indiens. Le professeur Sépulvéda, cependant, les a présentés comme fornicateurs [1] et cannibales. Il nous a dit qu'ils se massacrent les uns les autres, ce qui rend notre intervention nécessaire, et que le but suprême est leur conversion. Pour nous démontrer la pauvreté de leur goût artistique, il nous a gratifiés d'un joli coup de théâtre en produisant son serpent à plumes. Aujourd'hui c'est à mon tour de vous présenter ma surprise.

Tous retiennent leur souffle, attendant avec curiosité ce que le cardinal va annoncer.

Oui, je me suis longtemps demandé quel serait le meilleur moyen pour décider en conscience, et j'ai finalement choisi de faire venir ici, en Espagne, quelques spécimens de cette espèce indienne. Il m'a semblé que, les ayant sous les yeux, nous serions plus à l'aise pour les examiner longuement et voir s'ils sont, ou ne sont pas, semblables à nous.

(Il fait un geste au supérieur.)

Qu'ils entrent maintenant.

Le supérieur se lève et se dirige vers la porte.

LAS CASAS. – Éminence, vous avez envoyé une mission là-bas ?

LÉGAT. – Oui. Ça m'a pris des mois.

Conduits par le supérieur, hésitants, apeurés, trois personnages de l'autre monde apparaissent. Un homme s'avance avec une jeune femme et un enfant de cinq ou six ans. Ils forment à l'évidence une famille. Ils sont tous en vêtements traditionnels, avec des plumes aux chevilles et dans les cheveux, des chaussures à lanières et des pièces de tissu qui les enveloppent et laissent voir une partie de leur corps.

---

1. Fornicateurs : ce terme désigne des personnes qui ne sont pas mariées ni liées par des vœux et qui ont des relations charnelles. Par extension, il désigne des personnes ayant des pratiques sexuelles licencieuses.

Le supérieur les conduit jusqu'au milieu de la salle, où ils se tiennent
debout. La femme tousse légèrement. Elle tient son enfant contre elle. Le
1095 *légat consulte ses notes et dit :*

Apparemment nous avons ici une famille… le père, la mère et un enfant, leur nom est trop compliqué, je ne peux pas le lire, d'ailleurs ça n'a pas d'importance, ils arrivent de Mexico. J'avais demandé une autre femme, malheureusement elle est
1100 morte sur le bateau.

Nous allons donc les examiner sans partialité [1].

(À Las Casas.)

Vous connaissez sans doute leur langue ?

Las Casas. – À peine une centaine de mots.

1105 *Le légat montre plusieurs feuilles de papier.*

Légat. – Pour éviter de perdre du temps, j'ai demandé un rapport à des médecins sur leur constitution physique. En général. Elle est en tout point semblable à la nôtre, ils ont le même nombre d'orteils et de dents, leurs cheveux et leurs ongles poussent à la
1110 même vitesse que les nôtres. Une différence : les hommes n'ont pas de barbe et presque pas de poils sur le corps.

Supérieur. – Est-ce que cela nous donne une indication sur leur vraie nature ?

Légat. – Je me le suis demandé. Mais je n'ai rien trouvé dans les
1115 Écritures qui dise qu'un homme créé par Dieu à son image doit nécessairement posséder une barbe. Quelqu'un se souviendrait-il d'une phrase ?

Le supérieur et Sépulvéda paraissent fouiller dans leur mémoire pour
retrouver quelque phrase oubliée.

1120 Je voudrais aussi bien établir un point. Est-il sûr que leurs femelles peuvent être fécondées par les Espagnols ?

---

1. Sans partialité : sans parti pris.

LAS CASAS. – Oui, c'est bien sûr.

LÉGAT. – Le cas s'est produit ?

LAS CASAS. – Souvent, éminence. Des milliers de femmes ont été
1125   violées.

LÉGAT. – Et fécondées ?

LAS CASAS. – Assurément. Beaucoup d'entre elles.

LÉGAT. – Je vous pose cette question parce qu'on a raconté que
des femelles de chimpanzés, en Afrique, avaient été
1130   engrossées par des Portugais. Et, renseignements pris, c'était
pure invention.
(Au colon.)
Vous confirmez le fait ?

COLON. – Oui, éminence, ça ne fait aucun doute.

1135   LÉGAT. – Les enfants qui naissent de ces unions sont viables et
bien formés ?

COLON. – Sauf exception, oui, éminence.

LÉGAT. – Je vous remercie. Nous pouvons maintenant procéder
aux examens de la pensée et du sentiment.

1140   *Las Casas s'avance vers le cardinal.*

LAS CASAS. – Avant toute autre chose, éminence, ils ont froid. Ils
viennent d'un pays plus chaud que le nôtre et ils sont plus
sensibles au froid que nous. Ils ont dû voyager dans un fond
de cale humide, ou bien sur le pont, en plein vent. Regardez-
1145   les, ils tremblent, ils sont malades !
*En effet, les Indiens paraissent souffrir du froid, surtout la femme et
l'enfant.*
D'ailleurs, la plupart de ceux qu'on a transférés en Espagne
sont morts.

(À Sépulvéda.)

Ce qui permit de dire qu'ils étaient plus faibles que nous et que la main de Dieu les frappait.

(Il prend l'Indienne par le bras.)

S'il en est ainsi, voici donc une fièvre envoyée par Dieu. Une
1155   fièvre mortelle.

Le légat s'adresse au serviteur noir, qui est entré à la suite des Indiens.

LÉGAT. – Des couvertures.

Le serviteur sort rapidement.
Las Casas s'est approché des Indiens et leur dit quelques mots en nahuatl,
1160 *pour les rassurer :*

LAS CASAS. – Pas peur... Laine... Chaud...

LÉGAT. – Vous les connaissez ?

LAS CASAS. – Non, éminence.

LÉGAT. – D'après leurs vêtements, quelle place tenaient-ils dans
165   leur société ?

LAS CASAS. – C'est difficile à dire. Pour vous les présenter, on leur a mis leurs vêtements de fête. Là-bas, de plus en plus, ils s'habillent comme nous.

SÉPULVÉDA. – Parce qu'ils préfèrent nos habits ?

170 LAS CASAS. – Pas du tout. Parce qu'on les y force. Et ils apprennent vite qu'ils ont intérêt à nous imiter.

LÉGAT. – Demandez-leur qui ils sont.
(Montrant le père de famille.)
À l'homme, surtout.
175 *Las Casas leur pose à voix basse une question en nahuatl, question qu'on entend à peine.*

L'homme répond, lui aussi à voix basse. Le serviteur noir revient avec
des couvertures, qu'il dispose sur les épaules des Indiens.
Pendant ce temps, le légat dit au supérieur et à Sepúlveda :

1180 Si vous désirez les examiner de plus près, libre à vous.

Le supérieur se lève et s'approche des Indiens. Il tourne autour d'eux,
les regarde de très près, tâte l'étoffe de leurs vêtements et même touche
leur peau, les sent – comme on ferait à un animal inconnu. Sepúlveda
ne daigne pas se livrer à cet examen.

1185 *(À Las Casas).* Eh bien ?

LAS CASAS. – Éminence, il dit être le fils, je crois, d'un employé
aux registres de l'empereur. Ses parents sont morts. Il travaille
aujourd'hui pour les Espagnols, à Mexico. Comme maçon.

LÉGAT. – Il ne parle pas notre langue ?

1190 LAS CASAS. – Non, éminence.

LÉGAT. – Est-ce qu'il a entendu parler de la vraie foi ? Est-ce qu'il
croit en Dieu ? Demandez-lui.

À voix basse, Las Casas s'adresse de nouveau à l'Indien, qui lui répond
assez brièvement.

1195 LAS CASAS. – Il dit qu'il reste fidèle aux dieux de ses ancêtres. Il
les préfère.

Le légat montre le serpent à plumes.

LÉGAT. – Il préfère ces horreurs-là ?

LAS CASAS. – Oui, éminence.

1200 LÉGAT. – Mais pourquoi s'obstiner dans cette absurdité ? On leur
a parlé ? On leur a expliqué ? On leur a raconté les miracles ?

LAS CASAS. – Très souvent, éminence. Nous avons même soutenu
des disputes.

SUPÉRIEUR. – On leur a parlé de la Sainte Vierge ?

1205 LAS CASAS. – Bien sûr. Ça les intéresse, d'ailleurs. C'est l'opération du Saint-Esprit[1] qui reste un mystère à leurs yeux.

LÉGAT. – On leur a bien dit qu'il faut croire au mystère[2] précisément parce qu'il est un mystère ? Et que par conséquent il est d'origine divine ?

1210 SUPÉRIEUR. – Conçu et voulu par Dieu seul ?

LAS CASAS. – Ils ont un peu de mal là-dessus. De même pour le Christ. Comment peut-il être à la fois dieu et homme ? Ils ne voient pas bien.

SÉPULVÉDA. – Par faiblesse de leur pensée ?

1215 LAS CASAS. – Je ne crois pas.

Le légat s'adresse brusquement au serviteur :

LÉGAT. – Qu'on aille chercher une masse de fer. Un gros marteau. Oui, allez !
Le serviteur sort. Le légat revient à Las Casas :
1220 Et qu'avancent-ils comme arguments ?

LAS CASAS. – Ils disent : « C'est la croyance de nos pères. Nous avons toujours vénéré ces dieux-là. Nous ne voulons pas que soit détruite l'antique règle de vie. »

LÉGAT. – On leur a bien dit que leurs dieux n'ont pas su les
1225 protéger ? Que leur religion est folle et sans force devant la nôtre ?

LAS CASAS. – On le leur a dit.

---

1. *L'opération du Saint-Esprit* : action mystique du Saint-Esprit par laquelle la Vierge Marie fut rendue mère.
2. *Mystère* : dogme auquel le chrétien adhère par sa foi, sans qu'il puisse en donner une explication rationnelle.

SUPÉRIEUR. – Et que trouvent-ils à répondre ?

LAS CASAS. – Leur défaite les trouble, notre prédication[1] les
embarrasse, les intrigue. Mais le poids de leur passé reste très
lourd. Ils pensaient que rien ne devait changer. Ils disent : « La
parole des dieux est devenue obscure. Nous ne la comprenons
plus. Nos dieux ont choisi le silence. Qui viendra pour leur
redonner la parole ? Pourquoi les roulements du tonnerre
sont-ils devenus incompréhensibles ? » Ils demandent aussi :
« Plus rien ne sera comme autrefois ? Devons-nous disparaître
à jamais ? Ne laisser aucun souvenir ? »

SUPÉRIEUR. – Et cependant ils ne désirent pas changer de dieu ?

SÉPULVÉDA. – Ils sont donc très entêtés à ne pas voir la vérité ?

LAS CASAS. – Mais non ! Beaucoup sont déjà convertis !

SÉPULVÉDA. – Les rapports que j'ai demandés mettent en doute la
sincérité de ces conversions.

LAS CASAS. – Mais cet attachement à leurs croyances est tout
naturel ! Tous les peuples sont ainsi ! Tous les peuples sont
attachés à leur passé !

SÉPULVÉDA. – Éminence, éminence !
Menacé par la fougue retrouvée de Las Casas, Sépulvéda lève la main.
Il veut absolument parler.

LAS CASAS. – Ils sont curieux de nous, je l'ai dit, ils nous
regardent comme nous les regardons, ils nous écoutent, ils
nous comprennent, beaucoup nous suivent, mais ils ont vécu
seuls pendant très longtemps ! Coupés de tout ! Et ils étaient
sûrs d'être seuls au monde ! Notre arrivée les a bouleversés.
Aujourd'hui encore ils se demandent : « Mais qui sont-ils ? »

---

1. Prédication : action de prêcher l'Évangile.

1255 SÉPULVÉDA. – Éminence !

Le cardinal remarque la main levée de Sépulvéda et fait taire Las Casas.

LÉGAT. – Un instant, un instant…
(À Sépulvéda.)
Oui ?

1260 SÉPULVÉDA. – Je voudrais dire à frère Bartolomé une chose très
simple.

LÉGAT. – Dites-la simplement.

*Sépulvéda rassemble ses esprits et s'adresse calmement à Las Casas, en
montrant les Indiens :*

1265 SÉPULVÉDA. – De deux choses l'une, et une seulement.
(Las Casas hoche la tête.)
Ou bien ils sont pareils à nous, Dieu les a créés à son image et
rachetés par le sang de son fils[1], et dans ce cas ils n'ont
aucune raison de refuser la Vérité.
1270 *(Une courte pause.)*
Ou bien ils sont d'une autre espèce.

*Las Casas hausse les épaules. Le légat, apparemment intéressé, demande à
Sépulvéda :*

LÉGAT. – Quel est votre sentiment sincère, professeur ?

1275 SÉPULVÉDA. – Qu'ils sont d'une autre catégorie, nés pour servir et
être dominés. Comme la forme domine la matière, comme
l'âme domine le corps, l'époux son épouse, le père son fils[2].
Cet ordre a été établi par le Créateur pour le bien de tous.
Celui qui est né esclave, s'il reste sans maître il est perdu. Il se
1280 laisse effacer de la terre.

---

1. *Rachetés par le sang de son fils* : voir note 1, p. 39.
2. Voir Aristote, *La Politique*, 1254b.

LÉGAT. – Du point de vue de la philosophie, exploiter le travail de ces hommes n'est donc nullement un mal ?

SÉPULVÉDA. – Nullement, puisque Dieu l'a voulu.

LAS CASAS. – Mais tout cela n'est qu'un jeu de paroles ! Nous
1285   mangeons du sophisme [1], ici ! On ne peut pas décider de leur nature avec des finesses de logicien !

LÉGAT. – *(À Las Casas.)* Je vous demande le silence !

Le légat indique à Sépulvéda de continuer. Celui-ci s'adresse directement à Las Casas :

1290 SÉPULVÉDA. – Je comprends que la logique vous gêne, car vous parlez sans cesse dans la contradiction. Vous répétez qu'ils sont doux et humbles et que les Espagnols sont des monstres cruels. Mais vous dites aussi qu'ils sont semblables à nous. Alors, que croire ? Je pose encore une question : nous voyons
1295   qu'ils refusent notre foi, qu'ils restent fixés à leurs erreurs. Mais si le Christ le voulait, ils seraient tous chrétiens ! N'est-ce pas vrai ?

Il regarde autour de lui et recueille, de la part du colon, du supérieur, des hochements de tête approbateurs.

1300   Le fait qu'ils rejettent l'Évangile est bien la preuve de cette méchanceté que je dis. Ils sont placés par naissance hors de l'effet de la grâce divine. Ils ne rejettent pas le Christ. C'est le Christ qui ne veut pas d'eux dans son royaume.

1305 *Ces paroles font une véritable impression. Las Casas cherche quelque chose dans ses papiers.*
Les Indiens restent immobiles. La femme tousse.

---

1. Sophisme : raisonnement faux, ayant les apparences de la logique et cherchant à induire en erreur.

Le serviteur revient. Il tient une grosse masse à la main.
Le cardinal lui dit :

1310 LÉGAT. – Approchez-vous. Frappez sur leur idole, et observons leurs réactions.

Tous se taisent. Le serviteur s'approche. Il élève sa masse, mais semble hésiter.

Allez-y, frappez ! Oui, là ! Vous n'avez pas peur, tout de
1315 même ?

LAS CASAS. – Frappez ! Ils ont l'habitude !

Le serviteur lève sa lourde masse et frappe, brisant une partie de la sculpture.
Les Indiens tressaillent.

1320 *Le serviteur relève sa masse et frappe une seconde fois.*
L'Indien fait un mouvement, comme s'il voulait intervenir. Sa femme aussitôt le retient par le bras.

SÉPULVÉDA. – Vous avez vu ? Il a failli intervenir !

LAS CASAS. – Oui, mais sa femme l'a retenu !

1325 LÉGAT. – Qu'est-ce que ça prouve ?

LAS CASAS. – Qu'ils sont capables de penser, de dissimuler, de peser le pour et le contre ! Aussi rapidement que nous !

SÉPULVÉDA. – Le renard est rusé lui aussi. Dira-t-on que son âme est immortelle et que, s'il est sauvé, il finira au paradis ?

1330 LAS CASAS. – Mais le renard ne bâtit pas de statues ! Ni de pyramides ! Il va tout nu dans la broussaille, il ne paie pas d'impôts, le renard !
(À Sépulvéda.)
De nous deux, vous êtes le plus rusé. Sans aucun doute. Mais
1335 Satan est nommé le Malin. Est-ce le signe que vous lui appartenez ?

Le cardinal agite sa sonnette. Dans le silence, le supérieur demande :

SUPÉRIEUR. – Est-ce qu'ils sont sensibles à la douleur ?

LAS CASAS. – À la douleur ? Vous ne voudriez tout de même pas
1340 essayer ? Ici, dans un monastère ? Oui, ils souffrent ! Je peux
vous assurer qu'ils souffrent comme nous ! Ils se plaignent
quand on les frappe.

SÉPULVÉDA. – Les chiens et les chevaux aussi.
Las Casas va répliquer au philosophe quand le supérieur demande
1345 *encore :*

SUPÉRIEUR. – Oui, mais la douleur morale ? La tristesse de vivre ?
Est-ce qu'ils peuvent être mélancoliques ?

LAS CASAS. – Mais oui, je vous l'ai dit, et nous leur donnons
toutes les raisons d'être tristes !

1350 SUPÉRIEUR. – Est-ce qu'ils souffrent d'être loin de leur terre ? Est-
ce qu'ils craignent la mort ?

SÉPULVÉDA. – Toute créature vivante craint la mort.

SUPÉRIEUR. – Mais est-ce qu'ils ont l'idée d'un châtiment dans
l'éternité[1] ? Est-ce qu'ils en ont peur ?

1355 LAS CASAS. – Oui, ils ont une sorte d'enfer ! Oui, ils vivent après
la mort ! Et ils ont la notion de l'âme ! Parfaitement !

SUPÉRIEUR. – Est-ce qu'ils ont un paradis ? Est-ce qu'ils pra-
tiquent la prière ? Est-ce qu'ils se souviennent des choses
passées ?

---

1. Châtiment dans l'éternité : peine suprême, infligée par Dieu. Celui qui y
est soumis connaît l'épreuve du « feu qui ne s'éteint pas », du « feu éternel » en
enfer.

360 *Le cardinal saisit sa sonnette et l'agite encore.*
Il fait alors appel au colon :

LÉGAT. – Vous, là, venez.
    L'homme, qui se tenait assez discrètement à l'écart, semble hésiter.
    Oui, venez, approchez-vous d'eux !
365 *En voyant s'approcher cet homme – qui porte épée au côté – les Indiens*
    instinctivement reculent, comme s'ils avaient peur.
    Saisissez l'enfant et menacez-le. Comme pour le tuer.
    Nous allons bien voir.
    L'homme tire son épée – ce qui effraie considérablement les Indiens – et
370 *s'approche, non sans hésiter.*
    Las Casas veut lui aussi s'approcher d'eux, mais le légat lui ordonne :
    Vous, ne leur parlez pas ! Ne leur dites rien !
    Écartez-vous !
    (Au colon.)
375 Et vous allez-y ! Arrachez l'enfant et menacez-le !
    Allez !

Les Indiens semblent vouloir fuir, mais ils ne trouvent aucune issue.
L'enfant s'accroche à sa mère. Il a peur.
L'homme s'approche alors vivement de la femme, la saisit pour lui arracher
380 *l'enfant. Elle crie et se débat.*
Son époux intervient pour la défendre. Il est très durement repoussé par le
colon, qui le frappe avec la poignée de son épée. L'Indien tombe, le visage
ensanglanté.
Las Casas essaie d'intervenir :

385 LAS CASAS. – Éminence ! Non, ne faites pas ça ! Éminence !

LÉGAT. – Saisissez l'enfant, je vous dis !
    (Au serviteur.)
    Vous, maintenez la femme !
    Le colon parvient enfin à s'emparer de l'enfant, tandis que le serviteur
390 *tient la femme.*

L'homme le pose sur le sol et lève son épée comme s'il allait l'en transpercer, en un geste très menaçant, en le maintenant sous sa botte. La mère court vers son enfant, saisit le bras du cavalier en criant. Las Casas de son côté s'est précipité. Il saisit à son tour l'enfant, il repousse l'homme armé. Le cardinal s'écrie, en frappant dans ses mains :

C'est fini ! Arrêtez ! Arrêtez tout ! Remettez votre lame au fourreau ! Arrêtez !

Le colon obéit. Las Casas rend l'enfant à sa mère et se dirige vers l'Indien blessé, qui se relève difficilement.

Le cardinal s'adresse à Las Casas :

Parlez-leur, maintenant, rassurez-les. Dites-leur que c'était une erreur. Ou un jeu. Ce que vous voudrez.

Las Casas s'adresse en nahuatl (nous n'entendons pas) aux Indiens. Pendant cette agitation, le vêtement de la femme s'est dénoué, ou déchiré, laissant apparaître sa poitrine nue.

La situation s'étant un peu apaisée, on remarque cette nudité.

Plusieurs regards s'étonnent et se détournent.

Le légat dit au supérieur :

Couvrez cette femme. Allons, rattachez-lui sa robe.

Le supérieur s'approche d'elle et fait ce qu'on lui a dit de faire.

Le légat dit au serviteur :

Portez de l'eau et un mouchoir pour soigner cet homme. Vite.

Le serviteur sort rapidement. La robe est remise en place par le supérieur, tant bien que mal.

Las Casas s'adresse alors au cardinal :

LAS CASAS. – Mais pourquoi ce souci de pudeur[1], éminence ? Si elle n'est pas une vraie femme, elle peut bien se montrer nue, comme une chienne ou une vache !

LÉGAT. – Qu'allez-vous chercher là ?

---

1. Pudeur : sentiment de gêne que l'on éprouve à l'égard de la nudité, du sexe.

1420 LAS CASAS. – Éminence, nous devons arrêter cet examen. C'est un exercice cruel et inutile. Ils ont le même cœur que nous, vous le voyez bien.

SÉPULVÉDA. – Les animaux aussi défendent leurs petits. Surtout les femelles. C'est une autre loi de la nature. Le mâle n'a pas
1425 montré grande bravoure.

LAS CASAS. – Il est blessé !

SÉPULVÉDA. – Même blessé, il n'a pas montré le début de cette attitude solidaire qui fait la force des sociétés. Ils se conduisent chacun pour soi, comme dans une forêt jamais pénétrée.

1430 *Las Casas lui dit avec un calme presque surprenant :*

LAS CASAS. – Monsieur le professeur, vous risquez-vous parfois hors de votre bibliothèque ?

SÉPULVÉDA. – Mais bien sûr.

LAS CASAS. – Avez-vous une idée de la peine de vivre ? Sur toute
1435 la surface de la terre ? Sortez d'ici, comptez le nombre de miséreux que vous verrez dans les rues, la main tendue, de mendiants, d'estropiés, ici, dans le royaume le plus riche du monde, et revenez me parler de notre attitude solidaire. Ne savez-vous pas que la forêt sauvage commence là, à peine
1440 franchies les portes de chêne de ce couvent ?
(Il montre les Indiens, il va près d'eux.)
Cet homme et cette femme viennent d'arriver il y a peu de jours en Espagne. Ils sont égarés. Ils ne peuvent pas comprendre où ils sont, ni ce que nous voulons savoir.

1445 SÉPULVÉDA. – Vous dites bien : ils ne peuvent pas comprendre ?

LAS CASAS. – Imaginez-vous là-bas, dans un édifice inconnu, soumis à un jugement étrange, au milieu des prêtres emplumés dont la parole vous échappe. Vous pourriez comprendre ce

qui vous arrive ? Comprendre que d'autres hommes décident
1450 si oui ou non vous êtes un homme ?

C'est au tour de Sépulvéda de ne pas répondre.

Las Casas accueille le serviteur qui revient en portant de l'eau et un
linge blanc, lui prend le linge des mains et nettoie le visage de l'Indien
en ajoutant :

1455 Et puis si souvent les Espagnols les ont invités, les ont accueil-
lis avec le sourire, pour ensuite leur passer leur épée à travers
le corps... Mon Dieu, si souvent...

Un moment de calme et de silence.

On entend frapper à une porte.

1460 *Le supérieur va ouvrir la porte, jette un regard à l'extérieur, puis il*
annonce :

SUPÉRIEUR. – Le bouffon[1] est arrivé, éminence.

LÉGAT. – Ah ! qu'il entre, qu'il entre...

C'est une surprise pour Sépulvéda et pour Las Casas.

1465 Oui, j'ai fait venir ici un bouffon de cour. Le meilleur, m'a-
t-on dit. On dit que la faculté de rire n'appartient qu'à
l'homme, nous verrons bien si vos protégés *(il s'adresse à*
Las Casas) sont sensibles à la drôlerie.

LAS CASAS. – Éminence, vous voyez bien qu'ils ne sont pas
1470 disposés pour le rire !

SÉPULVÉDA. – Mais le rire est spontané ! Il ne se prépare pas !
Éminence, je trouve l'idée excellente !

LÉGAT. – Faites-lui place. Allons !

On pousse les Indiens pour créer un espace vide au centre de la grande
1475 *salle.*

---

1. Bouffon : personnage chargé de divertir un grand par ses plaisanteries et à
qui l'on accorde une grande licence.

Le supérieur se tourne vers la porte ouverte et fait un signe. On entend une musique très criarde, très enfantine : une trompette et un tambour. Un bouffon fait son entrée, avec trompette et tambour. Il est habillé comme un aristocrate grotesque [1], avec des couleurs éclatantes.

1480 *Les Indiens le regardent avec stupéfaction, Las Casas avec gêne, les autres avec intérêt. Le légat surveille en permanence les réactions des Indiens.*

Le bouffon saisit dans ses poches une bouteille et un verre. Il joue à l'homme ivre, titubant. Il semble chercher un endroit pour poser sa bouteille, n'en trouve pas, et la met dans les mains de l'Indien en lui disant :

1485 BOUFFON. – À boire ! À boire s'il vous plaît !

L'Indien ne comprend pas. Le bouffon lui fait signe de verser du vin dans le verre qu'il lui tend. L'Indien s'exécute.

Merci ! *Deo gratias* [2] ! Merci !

Le bouffon retire vivement son verre, obligeant l'Indien à verser un jet
1490 *de vin sur le sol, avant de redresser la bouteille. Le colon et le supérieur rient. Sépulvéda esquisse un sourire.*

Le bouffon boit une gorgée puis, comme pour remercier l'Indien, il prend une fleur piquée dans ses vêtements, et la lui tend. L'Indien hésite puis la saisit, au-dessous de la main du bouffon. Mais le bouffon
1495 *dissimulait avec ses doigts le fait que la tige de la fleur est coupée. Il remporte la fleur, laissant l'Indien avec un morceau de tige entre les doigts.*

Là encore, le colon, le supérieur et Sépulvéda sont amusés. Même le légat paraît titillé par l'envie de rire.

1500 *Le bouffon donne son tambour au colon en lui demandant d'en jouer. L'homme s'exécute. Le bouffon, verre en main, entreprend une sorte de marche militaire grotesque, passant devant les Indiens qu'il regarde*

---

1. *Grotesque* : qui prête à rire, ridicule.
2. *Deo gratias* : «Rendons grâce à Dieu.» Cette formule et les expressions latines qui suivent sont celles prononcées lors de la messe. Leur usage par le personnage du bouffon, dans un ordre différent de celui du rituel, est parodique.

avec une feinte férocité. Les Indiens reculent. Le bouffon trébuche
volontairement et s'étale. Sans renverser son verre, ce qui fait rire
1505 *Sepúlveda, le colon, le supérieur et même le cardinal.*

Deo gratias ! Et cum spiritu tuo [1] *!*

Il se relève et fait mine de rendre grâce à Dieu pour ne pas s'être blessé,
répétant plusieurs fois « Deo gratias ». Il esquisse plusieurs signes de
croix grotesques, se touchant les genoux au lieu des épaules, se
1510 *trompant, se touchant aussi le sexe. Puis il boit, tend de nouveau son*
verre à l'Indien en lui disant :

Dominus vobiscum [2] *!*

Quand l'Indien verse du vin dans le verre pour la seconde fois, le
bouffon esquisse un geste de bénédiction en commençant :

1515 *In nomine patris, et filii, et* [3]*...*

C'en est trop pour Las Casas, qui s'approche rapidement du cardinal.

LAS CASAS. – Éminence, je vous prie d'arrêter cette mascarade [4].
Pour le respect des sacrements, car nous sommes ici dans la
maison de Dieu.

1520 LÉGAT. – Les fous ont tous les droits, frère Bartolomé. La farce
aussi fait partie de la vie.

Las Casas montre les Indiens.

LAS CASAS. – Mais ceci n'est pas une farce ! Nous parlons d'un
peuple qui souffre et qui meurt ! D'un vrai peuple !

1525 SEPÚLVEDA. – Ce qui vous embarrasse, c'est que vos Indiens
n'ont même pas souri ! Ils n'ont pas desserré les lèvres !

---

1. *Et cum spiritu tuo* : « Et avec votre esprit. »
2. *Dominus vobiscum* : « Le Seigneur soit avec vous. »
3. *In nomine patris, et filii...* : voir note 3, p. 22.
4. *Mascarade* : mise en scène trompeuse.

LAS CASAS. – Mais comment voulez-vous qu'ils puiss
ne savent pas de quoi nous parlons !

SÉPULVÉDA. – Une culbute, des maladresses, cela me ..
1530   versel.

LAS CASAS. – Mais ils sont troublés ! Ils ont peur !

SÉPULVÉDA. – Ils sont donc incapables de comprendre ce que
nous comprenons ?

Las Casas cette fois se met carrément en colère :

1535 LAS CASAS. – Non ! Je vous ai dit non ! Ils sont sensibles comme
nous, ils connaissent l'amour et la crainte, les sentiments les
plus subtils, mais pour les voir, pour bien les voir, nous
devons les regarder avec d'autres yeux que nos yeux ordi-
naires. Sinon, nous ne les verrons jamais comme ils sont.
1540   Regardez-les comme un miroir où vous cherchez votre propre
visage. Un visage oublié, lointain.

SÉPULVÉDA. – Ce miroir, vous, vous pouvez vous y reconnaître ?

LAS CASAS. – À tout moment. Comme si une main me le tendait
d'un autre monde, d'un autre temps.

1545 SÉPULVÉDA. – Je le disais hier : ils vous ont brouillé la vue et l'esprit.

LAS CASAS. – Pourquoi me répétez-vous cette phrase ?

SÉPULVÉDA. – Parce que, à certains moments, vous semblez avoir
envie de prendre leur place, d'oublier qui vous êtes et d'em-
brasser l'idolâtrie.

1550 LAS CASAS. – Vous m'en soupçonnez ?

SÉPULVÉDA. – Parfois je m'interroge.

LAS CASAS. – Vous vous interrogez sur ma foi ? Vous pensez
qu'Aristote est un meilleur chrétien que moi ?

(Une pause.)

Suggérez-vous qu'il faudrait me mettre à l'épreuve ? Me questionner, comme nous savons si bien le faire ?

Sépulvéda ne répond pas, mais une menace a traversé la pièce.

Mais regardez-les sincèrement une fois pour toutes ! Délivrez-vous ! Rejetez votre rhétorique [1] !

1560   *Il se précipite soudain vers la table de Sépulvéda, saisit des papiers qu'il jette en tous sens.*

Sortez de vos papiers et regardez-les ! Regardez-les avec des yeux humains !

Sépulvéda essaie de repousser le dominicain. Les deux hommes en viennent 1565 *presque aux mains.*

Le cardinal se dresse en agitant sa sonnette et en appelant :

LÉGAT. – Frère Bartolomé ! Frère Bartolomé !

Las Casas ne se calme pas.

LAS CASAS. – De qui faisons-nous le procès ? De l'assassin ou de 1570   la victime ? Qui est accusé, ici ? Qui a tué, qui a violé, qui a trompé ?

Voyant que le trouble persiste, le légat décide d'intervenir lui-même.

Quittant l'estrade, il descend en disant encore :

LÉGAT. – Allons, frère Bartolomé ! Arrêtez ! Frère Barto...

1575   *Il a oublié la marche fragile, laquelle cède sous ses pas.*

Le cardinal s'effondre dans le petit escalier de bois.

La querelle entre Las Casas et Sépulvéda se calme aussitôt.

Les regards se portent sur le cardinal, vers qui le supérieur se précipite, pour l'aider à se relever.

1580   SUPÉRIEUR. – Éminence je suis désolé...

---

1. Rhétorique : moyens d'expression propres à persuader un auditoire. Le terme est ici péjoratif.

Quant aux Indiens, cette fois ils rient. Ce n'est qu'un bref sourire, mais on le remarque.
Las Casas est le premier à réagir :

LAS CASAS. – Voyez ! Ils ont ri ! Cette fois ils ont ri !
585   *(Au cardinal qui se relève.)*
     Je vous demande pardon, éminence, mais cette fois ils ont bel et bien ri !

SÉPULVÉDA. – Qui les a vus rire ? Qui d'autre ?

SUPÉRIEUR. – Oui, je les ai vus, ils ont ri.

590 SÉPULVÉDA. – Qui les a vus rire ?

BOUFFON. – Moi, je les ai vus. Ils ont ri, c'est vrai.

SÉPULVÉDA. – Posez-leur la question. Demandez-leur s'ils ont ri.
     Las Casas essaie de s'adresser en nahuatl aux Indiens, en désignant le cardinal qui reprend sa place tant bien que mal.
595   *Les Indiens n'ont aucune réaction. Ils se regardent entre eux, plutôt craintivement. Ils n'osent plus rire, maintenant.*
     Ils ne comprennent même pas ce qu'on leur demande.

LAS CASAS. – Ils comprennent très bien. Mais ils craignent qu'on ne les punisse d'avoir ri. Ils nous redoutent, à chaque
600   instant. Nous avons perdu leur confiance. Nous leur faisons peur.

Cependant, le cardinal s'est rassis. Il agite la sonnette, reprend son autorité et dit :

LÉGAT. – Faites sortir le pitre [1] ! Ça suffit. Allez, dehors ! Dehors !
605   *Le bouffon reprend ses accessoires et ressort en fausse majesté, non sans se heurter à une table.*
     Quand il a disparu, le légat déclare :

---

1. Pitre : bouffon.

Le temps nous est maintenant compté. Je dois prendre une décision demain matin avant de retourner à Rome. Frère Bartolomé, essayez de tout nous redire en quelques phrases. Ne revenez pas sur les massacres.

Las Casas se place à côté des Indiens. Il sent bien qu'il s'agit de son dernier plaidoyer [1] *et il rassemble ses esprits. Le silence se fait autour de lui.*

Il parle avec une émotion sensible, qui par moments lui noue la gorge.

LAS CASAS. – Qu'ils soient des hommes comme moi, je n'en peux pas douter, car ils sont mes frères indiens et je me reconnais en eux. Moi, je n'ai préparé aucun coup de théâtre, mais quand je les vois, quand je les regarde, j'entends le cri de tant de sang versé, et toutes ces questions, sur tant de lèvres : pourquoi vous m'assassinez ? Pourquoi vous me brûlez, avec mes temples, avec mes livres ? Pourquoi vous percez mes enfants ?

(Il marque une courte pause avant de reprendre.)

On me répond toujours : oui, mais c'était la guerre, nous envahissions un pays barbare, peuplé d'esclaves-nés, et la preuve de cette barbarie, c'est qu'ils sacrifiaient des hommes à leurs dieux. Et c'est vrai. Oui, c'est vrai. Mais revenons un peu sur nous-mêmes. Abraham [2] s'apprêtait à sacrifier son fils à Dieu. C'est bien parce qu'il pensait que Dieu apprécierait ce sacrifice ? Notre Dieu, le vrai Dieu, n'a pas toujours détesté qu'on lui sacrifiât des vies humaines. Il a même donné son fils en sacrifice !

Le cardinal lève la main et l'interrompt (coup de sonnette).

---

1. Plaidoyer : défense passionnée d'une idée.
2. Abraham : personnage de l'Ancien Testament, à qui Dieu ordonna de lui sacrifier son fils unique, Isaac. Au dernier moment, Dieu, assuré de la foi d'Abraham, remplaça Isaac par un agneau (Genèse, 22, 1-14).

LÉGAT. – La comparaison est très excessive.

LAS CASAS. – Je l'admets. Mais un temps viendra peut-être où une société plus raffinée que la nôtre trouvera l'Ancien Testament sanglant et cruel. Dira-t-on que les Juifs d'avant Jésus-Christ étaient une basse variété de l'humanité ?

1640   *Personne ne trouve à le contredire.*

Dans tous les temps, éminence, le sacrifice n'a eu qu'un but : donner à Dieu la preuve de notre adoration. Ces hommes, que la vraie foi n'avait pas encore éclairés, et qui subissaient aveuglément la loi naturelle, offraient à leurs faux dieux ce

1645   qu'ils avaient de plus précieux. Leur vie, leur sang.

Sépulvéda, qui paraît agacé depuis un moment, s'écrie :

SÉPULVÉDA. – L'argument est spécieux[1] ! Il met en parallèle un sacrifice allégorique[2], que la main de Dieu arrêta, et un massacre historique, reconnu de tous. L'argument n'est pas soute-

1650   nable !

LÉGAT. – Professeur, c'est à moi d'en juger. N'intervenez pas.

Il fait un geste à Las Casas, qui reprend :

LAS CASAS. – Tout peuple, si barbare qu'il soit, a le droit de se défendre contre une agression armée. J'ai toujours admiré

1655   Colomb, le découvreur. J'ai toujours détesté ceux qui l'ont suivi, rapière[3] au point. Pour anéantir des coutumes que nous appelons barbares, nous nous sommes faits plus barbares encore ! Comment voulez-vous qu'ils compren-nent ?

1660   *(Il s'adresse plus particulièrement au colon, dans l'assistance.)*

---

1. *Spécieux* : qui n'a que l'apparence de la vérité.
2. *Allégorique* : symbolique.
3. *Rapière* : épée longue et effilée à garde hémisphérique.

Vous leur dites : « Tu ne voleras pas » et vous leur prenez tous leurs biens. « Il ne faut pas tuer son semblable[1], sous aucun prétexte ! » Et pour que cela soit bien clair, vous les tuez !

LÉGAT. – À supposer, encore une fois, qu'ils soient nos semblables, car si l'on en croit Aristote…

Las Casas, qui a retrouvé toute sa véhémence, se permet de nouveau d'interrompre le cardinal. Il saisit la femme indienne par les épaules en s'écriant :

LAS CASAS. – Adieu Aristote ! Le règne d'Aristote est aboli ! Aristote est un païen qui brûle au milieu de l'enfer ! Aujourd'hui nous parlons au nom du Christ. La parole d'Aristote était une erreur terrible, tyrannique, infernale ! Toute la philosophie chrétienne la condamne !

Sépulvéda lève la main pour intervenir, il essaie même de couper le dominicain, mais celui-ci continue de plus belle, sans permettre à son adversaire de placer un mot :

Que lisons-nous à chaque page des Évangiles ? Que tout homme est mon semblable, que je dois le traiter comme je voudrais qu'il me traite, et lui rendre le bien pour le mal. Les Espagnols ont jailli comme des loups au milieu des brebis, mais le Christ a dit le contraire : « Je vous envoie comme des brebis au milieu des loups[2] ! »

SÉPULVÉDA. – Mais il a dit aussi…

Le cardinal, une nouvelle fois, fait taire le philosophe d'un geste, tandis que Las Casas continue :

LAS CASAS. – Voulez-vous entendre saint Paul ? L'entendre vraiment ?

_____

1. « Tu ne voleras pas » et « Tu ne tueras pas » sont deux des dix commandements bibliques, appelés aussi « décalogue » (Exode, 20, 13-15).
2. Évangile de Luc, 10, 3.

■ Jean-Pierre Marielle interprétant le rôle de Las Casas dans l'adaptation pour la télévision de *La Controverse de Valladolid* (1992).

(Il saisit un papier sur sa table, y jette un coup d'œil.)

Écoutez l'apôtre : «Il n'y a pas de Juif ni de Grec, il n'y a pas
1690 d'esclave ni d'homme libre, il n'y a pas de mâle ni de femelle,
car vous êtes tous un dans le Christ Jésus [1]. » Tous un ! Où
voit-on dans ce texte les catégories d'Aristote ?

(Il s'approche du cardinal.)

Éminence, j'en aurai bientôt terminé. Je me rappelle ce que
1695 me dit une fois un vieux dominicain qui me confessait : la
vérité s'avance toujours seule et fragile, le mensonge au
contraire a beaucoup d'auxiliaires. Encore deux points. Il est
dit : «Malheur à celui à cause de qui le nom du Seigneur a été
blasphémé [2]. »

1700 LÉGAT. – Certes.

LAS CASAS. – Le nom du Christ a été maudit et blasphémé des
millions de fois à cause de nous.

LÉGAT. – Et votre second point ?

LAS CASAS. – En frappant des innocents, nous leur avons appris
1705 la cruauté et l'égoïsme. Nous les avons faits à notre image,
nous avons perpétué la chaîne du mal. Ils sont promis à
l'enfer à cause de nous. J'ajoute que, dans les combats sans
fin que se livrent les peuples, toute violence extérieure reste
sans effet. Elle éveille au contraire la haine et la maintient
1710 comme une braise.

(Une pause.)

C'est dans les cœurs que nous devons briser les idoles. Dans
les cœurs seulement.

On entend au loin le tonnerre. Un orage se rapproche de la ville.
1715 *L'Indienne serre contre elle son enfant.*

---

1. Saint Paul, Épître aux Galates, 3, 28.
2. *Blasphémé* : voir note 3, p. 28.

Éminence, que pourrais-je dire de plus ? Nous désirons les faire tous chrétiens et nombre d'entre eux le sont déjà. Mais comment seraient-ils à la fois chrétiens et esclaves ? Comment ?

1720 LÉGAT. – Que proposez-vous, frère Bartolomé ?

LAS CASAS. – De reconnaître les Indiens comme nos frères et de leur rendre leur liberté première. Pour cela, il faut que les Espagnols se retirent des terres nouvelles.

(Remarquant un sourire sur les lèvres de Sépulvéda.)

1725 Ne souriez pas, car nous avons tout à y gagner ! Les Indiens, le roi et l'Église y gagneront !

(Une courte pause.)

Éminence, notre responsabilité est aujourd'hui immense, et les siècles qui viennent seront nos juges sans pitié. Oui, il
1730 vaudrait mieux renoncer aux Indes. Sinon l'Espagne sera maudite et durement frappée par Dieu.

SÉPULVÉDA. – Non ! C'est précisément le contraire !

LÉGAT. – Comment cela, le contraire ?

SÉPULVÉDA. – On tressera des louanges[1] à l'Espagne pour avoir
1735 délivré la terre d'une espèce sanguinaire et maudite. Pour en avoir amené certains au vrai Dieu. De leur avoir appris tout ce que nous savons. Et surtout, on reconnaîtra nos efforts pour faire apparaître la vérité ! Notre rencontre ici, notre discussion n'a pas d'autre exemple dans l'histoire des nations. Elle sera
1740 toute à la gloire de l'Espagne !

LÉGAT. – Vous le pensez vraiment ?

SÉPULVÉDA. – Oui, je le crois. Je le crois fermement.

Une courte pause. Tous les regards se portent maintenant sur lui.

---

1. *Louanges* : compliments, félicitations.

La question n'est pas d'abandonner les Indes.

1745 Nous savons bien qu'il s'agit là d'un rêve et que toujours nous resterons là-bas. Aucun mouvement de l'histoire ne s'inscrit au rebours du temps. La question est la seule qui se pose à tout philosophe : que devons-nous et que pouvons-nous faire ?

1750 *(À Las Casas.)*

Vous l'avez dit vous-même. Nous devons les faire tous chrétiens. Hors de cela aucun bien dans cette vie, aucun salut dans l'autre.

Tous approuvent, et Las Casas lui-même.

1755 Comment les convertir ? En combien de temps ? À quel prix ? C'est la seconde partie de la question, et sur ce point, frère Bartolomé, nous différons.

Il marque encore une courte pause, pour bien marquer les articulations savantes de son discours. Toujours à Las Casas.

1760 Vous dites : «Chrétiens et esclaves, non. Les deux termes s'excluent l'un l'autre.» Et je dis, moi : «Pourquoi pas?» Pendant quelque temps, en tout cas, en attendant une conversion générale. Sinon, que faire de ceux qui ne veulent pas devenir chrétiens ? Laissons saint Luc vous répondre, par une
1765 parole qui fut recueillie de la bouche même du Christ : «*Compelle eos intrare*[1].» «Force-les à entrer.»

LAS CASAS. – Éminence, tout dépend de la…

LÉGAT. – À votre tour, silence.

SÉPULVÉDA. – Comment donc les forcer à entrer ? En les mainte-
1770 nant quelque temps esclaves et en proclamant : celui qui devient chrétien sincère cesse *ipso facto*[2] d'être esclave. Et c'est cela notre devoir majeur.

---

1. Évangile de Luc, 14, 23.
2. *Ipso facto* : voir note 2, p. 24.

SUPÉRIEUR. – Et s'ils persistent ?

SÉPULVÉDA. – Leur sort est alors dans les mains de Dieu.

1775 SUPÉRIEUR. – Pour combien de temps ?

SÉPULVÉDA. – Dieu est au-delà du temps. Nous n'avons pas à lui fixer une limite.

La pluie a éclaté. On entend les grosses gouttes de l'orage tomber sur les toits du couvent.

1780 Vous dites que les guerres que nous leur faisons ne sont pas justes. Je dis, moi, que la guerre juste est celle qui conduit à la justice.

Il est interrompu par un coup de tonnerre, puis il reprend :

La conquête a prouvé – si besoin était – la validité de la foi
1785 chrétienne. Il reste bien entendu les musulmans, qui ont fait régner le mal sur un vaste empire, pendant des siècles, mais ils sont maintenant très affaiblis. Leur fin est proche, tout l'indique. Oui, je suis moi aussi de ceux qui pensent que le règne de la vraie foi est proche. Je crois qu'il va s'installer
1790 bientôt sur toute la terre. Et qu'il durera un millier d'années.

(Montrant les Indiens.)

Et vous voudriez les en tenir exclus ?

(Une pause.)

Quel est le bien suprême ?

1795 *Il se tait un instant. Silence. Personne ne lui répond. Il s'adresse de nouveau à Las Casas :*

Vous parliez par saint Paul, je réponds par saint Augustin. Le bien suprême est le salut de l'âme. « La perte d'une seule âme non munie du baptême, a dit saint Augustin, est un malheur
1800 plus grand que la mort d'innombrables victimes, même innocentes [1]. »

---

1. Cette idée est récurrente dans *La Cité de Dieu* de saint Augustin, évêque africain, père de l'Église et grand prédicateur (354-430).

(Montrant les Indiens.)

Voilà pourquoi nous tenons si ardemment à les convertir. Parce que sans cela leur âme est perdue. Et que rien, en ce monde ou dans l'autre, n'est plus précieux que leur âme. Tous les textes des pères de l'Église [1] l'affirment : tous ceux, quels qu'ils soient, mahométans [2] ou juifs, ou bouddhistes, ou sauvages, qui n'auront pas été baptisés, tous, sans exception, seront jetés dans le feu éternel [3] où ils brûleront sans se détruire !

(Une pause.)

Voilà pourquoi les vrais chrétiens se pressent, pourquoi ils mettent tant d'efforts à porter dans les terres nouvelles la parole de vérité.

(Montrant les Indiens.)

Pour les sauver ! Pour sauver leur âme ! Pour leur donner la possibilité de s'assurer le salut éternel !

LÉGAT. – Vous admettez donc qu'ils ont une âme ?

SÉPULVÉDA. – Je désire être bien compris.

(Une pause.)

Je dis qu'ils n'ont pas une âme comme la nôtre, de même qualité, il s'en faut de beaucoup, et que nous n'avons aucune raison de les traiter comme nous-mêmes.

(Une autre pause.)

Mais au cas où je me tromperais, ce que je reconnais possible, au cas où Aristote se tromperait, si leur âme est semblable à la nôtre, alors je dis qu'elle est la perle la plus précieuse de la création et qu'à tout prix nous devons la sauver !

---

1. *Les pères de l'Église* : théoriciens de la foi catholique dont l'Église a approuvé la doctrine.
2. *Mahométans* : personnes qui professent la religion de Mahomet ; musulmans.
3. *Feu éternel* : voir note 1, p. 76.

Il s'avance pour prononcer ses dernières phrases. Il devient très fort,
1830 *très persuasif – d'une autorité assez menaçante.*

Que vaut-il mieux, une vie terrestre sans gloire, dans l'erreur
et dans le péché, suivie d'une éternité de souffrance ? Ou bien
une vie plus courte, plus dure peut-être, et plus vite frappée
par la mort, mais suivie d'une éternité de lumière auprès du
1835 vrai Dieu vainqueur ?

(Une pause.)

Est-il quelqu'un ici qui ne connaisse pas la juste réponse ?

Il se tait et retourne à sa place.

LÉGAT. – Vous avez terminé ?

1840 SÉPULVÉDA. – Oui, éminence.

LÉGAT. – Qui désire encore parler ?

(Au supérieur.)

Vous peut-être ?

SUPÉRIEUR. – Non… Non, tout a été dit, il me semble.

1845 LÉGAT. – Personne ?

À ce moment le colon lève la main et demande :

COLON. – Je peux dire quelque chose ?

LÉGAT. – Mais certainement. Avancez.

L'homme s'avance jusqu'au centre de la salle. Il parle avec une soumission
1850 *verbale apparente, mais on devine dans son attitude, dans ses gestes, un*
corps exercé et arrogant (il a même une cicatrice sur le visage).

COLON. – Moi, je ne parle pas très bien. Je n'ai pas appris. Mais
ce que j'ai à dire, tout le monde ici doit le savoir.

LÉGAT. – Nous vous écoutons.

1855 COLON. – Je suis venu, au nom de mes amis, pour parler de notre installation là-bas, de notre vie… Il faut travailler avec eux, on n'a pas le choix…
(Il fait un geste méprisant vers les Indiens, mais sans les regarder.)
Mais ils sont sales et paresseux, ils sont voleurs, ils n'ont pas
1860 de parole…

LAS CASAS. – Et pourquoi devraient-ils s'échiner [1] pour vous ?

LÉGAT. – *(À Las Casas.)* Frère Bartolomé, vous avez assez parlé. Écoutez les autres.

COLON. – Il faut en tout cas savoir une chose. Si nous devons les
1865 payer, les traiter comme des chrétiens, leur accorder des lois, nous occuper d'eux, ça va coûter beaucoup d'argent… Beaucoup…
(Il regarde autour de lui.)
C'est peut-être pas l'endroit pour parler d'argent ici, mais…
1870 *Le légat lui fait signe de continuer.*
Cet argent, il faudra le soustraire aux revenus de la Couronne, et aussi aux revenus de l'Église… C'est sûr… On pourra pas faire autrement… Il fallait quand même que je le dise…

Le supérieur parle à l'oreille du légat, qui demande :

1875 LÉGAT. – Dans quelles proportions ?

COLON. – Oh, dans des proportions énormes. C'est tout le système qu'il faudra changer. De fond en comble. Il faudra même que l'Espagne et l'Église envoient de l'argent là-bas, au lieu d'en recevoir.

1880 LÉGAT. – Vous qui les connaissez bien, dites-moi, pensez-vous qu'ils ont une âme ?

---

1. S'échiner : se donner de la peine.

COLON. – Moi, l'âme, je sais pas. Ce que je sais, c'est que les miens refusent de croire aux miracles du Christ. Quand je leur parle de miracles, ils me répliquent : «Fais-en, toi, des miracles !» Et comme je ne peux pas… En plus, ils n'ont pas de reconnaissance pour tout ce qu'on leur a appris.

LAS CASAS. – Appris ? Mais appris quoi ? La torture ? La vérole ?

LÉGAT. – Frère Bartolomé, une fois de plus…

Las Casas fait signe qu'il se tait. L'homme s'adresse à lui :

COLON. – On leur a pas appris la torture, ils savaient déjà. On leur a donné des outils, des livres, des habits… On leur a montré comment planter de la vigne, comment cuisiner à l'espagnole… Et puis autrefois ils étaient des esclaves, et nous on les a libérés… Mais cette liberté, ils n'y sont pas habitués, ils en abusent, ils croient qu'ils ont le droit de se coucher dans un hamac et de rien faire… Ils se cachent pour ne pas travailler, ils s'enfuient…

LAS CASAS. – Parce qu'ils refusent de nous obéir, ils nous seraient donc inférieurs ? C'est parce qu'ils refusent d'être soumis que nous avons le droit de les soumettre ?

Le colon désigne encore les Indiens, sans les regarder :

COLON. – Ils sont faibles de corps, ils meurent de maladies légères, ils font peu d'enfants. Si en plus il faut les payer, autant renoncer aux Indes… Aux bénéfices du commerce aussi bien qu'au salut de leurs âmes… Ça, il fallait quand même le dire…

Le silence revient, brisé par le cardinal :

LÉGAT. – Vous ne parlez pas si mal que ça.

COLON. – Je parle franchement, éminence.

1910 *L'homme s'incline et regagne sa place. Le cardinal reste un instant pensif,*
le regard fixé sur ses deux mains.

LÉGAT. – Nous allons nous interrompre ici. Je donnerai ma
décision demain matin à la première heure.

Le serviteur noir accourt à ce moment-là et apporte une lettre, qu'il remet
1915 *au supérieur. Celui-ci jette un coup d'œil à l'enveloppe et la tend au légat*
en disant :

SUPÉRIEUR. – Une lettre du roi, éminence.

Le cardinal prend la lettre et la pose devant lui sur la table, sans la
décacheter. Le supérieur s'en étonne :

1920 Vous ne la lisez pas ?

LÉGAT. – Je sais déjà ce que le roi veut me dire.

(Une pause.)

D'autres me l'ont dit.

Le noir se fait.

1925 *Quelques secondes plus tard, nous retrouvons Las Casas à genoux, dans sa*
cellule, isolé par la lumière. Il est en prière.

LAS CASAS. – Mon Dieu… pourquoi as-tu voulu cette bataille
continuelle ? Pourquoi as-tu collé les yeux de la plupart des
hommes avec de la glu ? Pourquoi les as-tu envenimés du
1930 goût de l'or et de la possession ? Pourquoi as-tu donné à
certains d'entre eux l'intelligence la plus fine pour défendre
l'horreur totale ? Toi l'éternel amour, pourquoi nous as-tu
tirés vers le contraire de l'amour ? Pourquoi la haine et la
violence sont-elles si fortes, si constamment établies dans nos
1935 cœurs ? Qu'ai-je pu oublier ?

(Une pause.)

Ai-je dit ce que je devais dire ? Si mon cœur est obscur, est-ce
qu'au moins mon esprit reste clair ?

Dans le noir qui s'efface, on entend la voix du légat :

1940 LÉGAT. – Mes chers frères, ma décision est prise. Comme je l'ai dit, elle sera confirmée par Sa Sainteté et par l'Église tout entière.

La lumière revient. Tous sont en place, comme la veille, sauf les Indiens.
Sépulvéda, Las Casas et le colon, auprès de qui se tient le supérieur du
1945 *couvent, tous attendent.*

LÉGAT. – Les habitants des terres nouvelles, qu'on appelle les Indes, sont bien nés d'Adam et d'Ève, comme nous. Ils jouissent comme nous d'un esprit et d'une âme immortelle et ils ont été rachetés par le sang du Christ. Ils sont par
1950 conséquent notre prochain.

Un sentiment de joie paraît sur le visage de Las Casas. Il a été entendu.
Le légat dit encore :

Ils doivent être traités avec la plus grande humanité et justice, car ils sont des hommes véritables. Cette décision sera rendue
1955 publique et proclamée dans toutes les églises de l'Ancien et du Nouveau Monde.

Sépulvéda se permet une dernière intervention :

SÉPULVÉDA. – Éminence, pardonnez-moi, je respecte naturelle-ment votre choix, mais avez-vous réellement examiné toute
1960 l'importance de ces paroles ?

LÉGAT. – Me soupçonnez-vous de légèreté ?

SÉPULVÉDA. – Non, à coup sûr. Mais vous devez savoir que vous condamnez à la ruine tous les établissements espagnols du Nouveau Monde.

1965 *C'est au tour du cardinal d'élever la voix :*

LÉGAT. – Professeur, est-ce que je vous donne un instant l'impres-sion de ne pas avoir réfléchi ?

SÉPULVÉDA. – Certes non, éminence.

LÉGAT. – N'avez-vous pas dit vous-même que le salut de l'âme
1970 prévaut sur tout autre but ?

SÉPULVÉDA. – Certes, je l'ai dit.

LÉGAT. – *(Montrant le colon.)* Voudriez-vous que ces hommes
gagnent leur vie ici-bas en perdant leur âme ?
(Sépulvéda ne trouve rien à dire.)
1975 Croyez-vous que je n'ai pas mesuré ma charge, que je n'ai pas
prié, pendant des nuits entières ? Croyez-vous que je ne me
rende pas compte de tout ce que j'engage, qui ne sera plus
jamais comme avant ? Croyez-vous un instant que Dieu aurait
pu m'abandonner au moment de choisir parmi Ses créatures ?

1980 SÉPULVÉDA. – Non, certes non.

Tout à coup la voix du supérieur, qui parlait avec le colon, s'élève :

SUPÉRIEUR. – Éminence !
(Le supérieur s'approche du cardinal et lui dit à voix basse :)
Éminence... j'ai une idée à vous soumettre... Elle pourrait
1985 tout arranger... être acceptée par tous...

LÉGAT. – Dites-moi.
Le supérieur parle à voix basse à l'oreille du légat, qui l'écoute
attentivement. Cela dure une dizaine de secondes.
Las Casas, qui avait commencé à ranger ses papiers, s'arrête.
1990 *Quand le supérieur a fini déparler, le cardinal réfléchit un instant,*
puis il hoche la tête et agite sa sonnette. Il dit :
On commettrait cependant une grande erreur en pensant que
l'Église ne tient aucun compte des intérêts légitimes de ses
membres.
1995 *Las Casas dresse l'oreille. Il est soudainement inquiet.*
Nous sommes en effet très sensibles au coup porté à la colonisation. Mais il existe peut-être une solution, qui vient de
m'être rappelée.

Les autres attendent, dans le plus attentif des silences. Le cardinal fait un
2000 *geste au supérieur.*

SUPÉRIEUR. – S'il est clair que les Indiens sont nos frères en Jésus-Christ, doués d'une âme raisonnable comme nous, en revanche il est bien vrai que les habitants des contrées africaines sont beaucoup plus proches de l'animal. Ces habitants
2005 sont noirs, très frustes, ils ignorent l'art et l'écriture, ils n'ont jamais construit que quelques huttes.

LÉGAT. – Oui, Aristote dirait qu'ils sont privés de la partie délibérative de l'esprit[1], autrement dit de l'intelligence véritable. Toute leur activité est physique, c'est certain, et
2010 depuis l'époque de Rome ils ont été constamment soumis et domestiqués.
(Au colon.)
Des Africains ont déjà fait la traversée ?

COLON. – Oui, éminence. Depuis les premiers temps de la
2015 conquête. Ils s'adaptent vite au climat. Ils sont même assez résistants.

LÉGAT. – Qui les expédie ?

COLON. – Au début, les Portugais[2] surtout. Ils les capturent, les transportent, puis les revendent. Très cher, d'ailleurs. Des
2020 Espagnols aussi s'y sont mis. Des Anglais…

LÉGAT. – Je ne peux évidemment que le suggérer, mais pourquoi ne pas les ramasser vous-mêmes, en nombre suffisant ? Vous

---

1. Pour Aristote, l'âme des êtres vivants comporte plusieurs parties : la partie sensitive (qui appartient aux animaux privés de raison) et la partie délibérative (qui appartient aux êtres doués de raison) sont deux d'entre elles.
2. Le Portugal a été le premier pays européen à satisfaire ses besoins en main-d'œuvre en important à partir de 1444 des esclaves du continent africain. Dès 1460, il importait annuellement sept cents à huit cents esclaves.

auriez ainsi une main-d'œuvre assurément robuste, docile et encore moins dispendieuse [1]. Je suppose qu'en Afrique ça se trouve facilement ?

2025

COLON. – Leurs rois eux-mêmes les vendent.

SÉPULVÉDA. – L'Église ne s'y opposerait pas ?

LÉGAT. – Pourquoi s'y opposerait-elle ? Est-ce que le roi d'Espagne s'y oppose ?

2030 SÉPULVÉDA. – Il est de fait que l'esclavage est une institution ancienne. Nécessaire, même. Mais déporter ainsi tant de peuples… Sans même songer à leur salut…

LÉGAT. – C'est vous qui vous en inquiétez ?

SÉPULVÉDA. – Oui, naturellement. Je m'inquiète pour eux comme
2035   pour les autres.

LÉGAT. – Mais rien, s'ils le désirent, ne leur interdira le baptême ! Ils seront même plus proches de la foi que s'ils étaient restés en Afrique !

LAS CASAS. – Éminence, pour ce trafic, le roi n'a accordé jusqu'à
2040   présent que des autorisations particulières ! Avec réticence ! Si l'Église ne s'y oppose pas, cela peut devenir rapidement un grand commerce.

SÉPULVÉDA. – Et conduire à tous les abus.

SUPÉRIEUR. – À des révolutions. À des guerres.

2045 LÉGAT. – À vous entendre, rien ne peut être pire que ce qui déjà se pratique. Vous-même, il me semble, vous avez eu un esclave noir ?

---

1. *Dispendieuse* : coûteuse, chère.

LAS CASAS. – Pendant très peu de temps, et jamais je ne l'ai tenu pour un esclave.

2050 LÉGAT. – Vous étiez satisfait de son service ?

LAS CASAS. – Éminence…

LÉGAT. – L'idée même ne venait-elle pas de vous, pour protéger vos chers frères indiens ?

LAS CASAS. – Je l'ai dit, oui, dans ma jeunesse. Quel démon
2055 m'agita ce jour-là ? Je ne sais pas… J'ai passé la suite de ma vie à m'en repentir. Je crois que le paradis me sera peut-être fermé à cause de ce que j'ai dit ce jour-là… J'en ai honte…

LÉGAT. – C'est bien, c'est bien.

LAS CASAS. – J'affirme, éminence, que les Africains sont des
2060 hommes comme les autres ! Nous nous sommes trompés sur eux, depuis des siècles ! Le Christ est mort tout aussi bien pour eux ! Ce serait une erreur grave…

Le cardinal, pressé d'en finir, agite sa sonnette.

LÉGAT. – Non, non, allons, nous n'allons pas recommencer !
2065 Nous ne sommes pas là pour ça. C'est terminé ! Allons !
(Au supérieur.)
Vous me ferez penser à rajouter un codicille[1].
(Il se lève.)
Au nom de Sa Sainteté, je vous remercie pour votre aide.
2070 Rendons grâce à Dieu d'avoir été parmi nous jusqu'au dernier moment.
(Il bénit.)
In nomine patris, et filii, et spiritus sancti[2].

---

1. *Codicille* : note qui vient corriger ou compléter un décret antérieur.
2. *In nomine…* : voir note 3 p. 22.

TOUS. – Amen.

2075 *Une cloche sonne.*

Le légat sort le premier, accompagné du supérieur.

Le colon les suit.

Sépulvéda et Las Casas rassemblent leurs documents. Avant de sortir, ils s'adressent un dernier regard.

2080 *Las Casas va pour sortir le dernier, quand son attention est attirée par un bruit. C'est le serviteur noir qui se met au travail pour nettoyer la pièce, ramasser les papiers, les débris de la sculpture.*

La cloche s'arrête.

Las Casas s'immobilise et regarde le serviteur.

■ Plusieurs monuments ont été dédiés au frère dominicain Bartolomé de Las Casas, ardent défenseur de la cause indienne. Ci-dessus celui érigé à Trinidad, à Cuba.

DOSSIER

Mots croisés

Verticalement

1. Ils ont combattu les chrétiens sur le sol espagnol.
2. Il représente le pape.
3. Il a conquis le Mexique.
4. Il a découvert l'Amérique.

Horizontalement

A. Ils sont destinés à devenir esclaves à la place des Indiens.
B. Philosophe grec, auteur notamment de *La Politique*.
C. Écrits relatant la vie du Christ.

Civilisation et barbarie

La découverte de terres nouvelles a repoussé les frontières du monde connu et révélé aux Européens l'existence de peuples aux us et coutumes différents des leurs. Certains ont rapidement qualifié les habitants de ces contrées éloignées de « barbares », de « sauvages ». D'autres, en revanche, ont élevé leur voix pour dénoncer les mauvais traitements infligés aux indigènes au nom de la religion par les peuples dits « civilisés ». Ils n'ont pas hésité à prêter aux prétendus « barbares » des valeurs d'humanité et d'hospitalité et, inversement, à critiquer sévèrement la cruauté et l'avidité des peuples conquérants.

Ces prises de position apparaissent clairement dans *La Controverse de Valladolid*. Retrouvez à quel peuple sont attribués les qualités, les défauts, voire les méfaits, énoncés dans les passages suivants.

1. « Ils sont beaux, éminence, de belle allure. Ils sont pacifiques et doux, comme des brebis. Sans convoitise du bien d'autrui. » C'est le peuple des ....

2. « La soif de l'or et de la conquête les a transformés en démons. » C'est le peuple des ....

3. « Mais, c'est le plus barbare, le plus sanglant des peuples ! » C'est le peuple des ....

4. « S'il est clair que les .... sont nos frères en Jésus-Christ, doués d'une âme raisonnable comme nous, en revanche il est bien vrai que les .... sont beaucoup plus proches de l'animal. »

Un débat passionné

En 1550, la controverse de Valladolid doit définir le statut des Indiens du Nouveau Monde et le sort qu'il faut leur réserver. Chaque intervenant défend son opinion. Les thèses soutenues, ainsi que celle finalement retenue, sont résumées dans les répliques suivantes. Rendez à chacun son discours.

« Ils sont d'une autre catégorie, nés pour servir et être dominés. »

« Ils sont mes frères indiens et je me reconnais en eux. »

« Ils sont faibles de corps, ils meurent de maladies légères, ils font peu d'enfants. Si en plus il faut les payer, autant renoncer aux Indes. »

« Ils doivent être traités avec la plus grande humanité et justice, car ils sont des hommes véritables. »

- Le légat
- Sépulvéda
- Las Casas
- Le colon

Des objets signifiants

Il existe au théâtre des signes qui n'apparaissent pas dans le texte des personnages et ressortissent du spectacle proprement dit. Ainsi, les objets, dont l'emploi est décrit dans les didascalies, tout en dynamisant la mise en scène, permettent souvent d'accentuer un trait de caractère des personnages, de renforcer leur appartenance à une catégorie sociale, etc. Leur présence et leur utilisation ne sont pas innocentes.

Attribuez à chacun des personnages mentionnés ci-dessous l'objet qui est le sien. Précisez ce qu'il souligne, « signifie » chez le personnage (l'autorité, l'exotisme, etc.).

Le bouffon •   • Des papiers
Le légat •   • Une épée
Le serviteur noir •   • Une sonnette
Le colon •   • Des plumes
Les Indiens •   • Une trompette
Sépulvéda •   • Un balai

L'altérité : pistes de lecture

L'autre, le connaître, le respecter

Au XVIe siècle, la pensée humaniste se répand à travers l'Europe, centrée sur l'homme, sur sa situation dans l'univers et sur sa destinée. À cette époque, le Portugal, l'Espagne et la France découvrent le Nouveau Monde et ses populations. Montaigne y voit l'occasion d'enrichir sa connaissance de l'homme. Découvrir l'autre, c'est se regarder dans un miroir peu complaisant et c'est aussi prendre conscience de la relativité des jugements. Au XVIIIe siècle, les philosophes des Lumières, s'employant à combattre les préjugés, l'injustice et l'intolérance, poursuivent cette réflexion, fondement de l'humanisme moderne.

A. L'autre, sujet de curiosité

Les *Essais* sont l'œuvre d'une vie. Montaigne entreprend leur rédaction en 1570 pour mieux se connaître : il désire se peindre dans tous ses aspects (physiques, intellectuels et moraux). Mais considérer un événement particulier de sa vie le conduit inévitablement à réfléchir sur les problèmes politiques, religieux et sociaux de son époque, à s'interroger sur la destinée humaine. À travers le particulier, il atteint par conséquent l'universel, l'« homme en général ». Ayant rencontré à Rouen, en 1562, trois Brésiliens, il raconte dans l'un de ses essais la discussion qu'il eut avec eux et relate les remarques qu'ils firent au roi Charles IX. Montaigne, évoquant le jugement porté sur la société de son temps par des

« sauvages », mesure toute la relativité des opinions et des valeurs qui la fondent. On est, en quelque sorte, toujours l'autre d'un autre.

« [...] Le Roi parla à eux longtemps ; on leur fit voir notre façon[1], notre pompe[2], la forme d'une belle ville. Après cela, quelqu'un en demanda leur avis, et voulut savoir d'eux ce qu'ils y avaient trouvé de plus admirable ; ils répondirent trois choses, d'où[3] j'ai perdu la troisième, et en suis bien marri[4] ; mais j'en ai encore deux en mémoire. Ils dirent qu'ils trouvaient en premier lieu fort étrange que tant de grands hommes, portant barbe, forts et armés, qui étaient autour du Roi (il est vraisemblable qu'ils parlaient des Suisses[5] de sa garde), se soumissent à obéir à un enfant[6], et qu'on ne choisissait plutôt quelqu'un d'entre eux pour commander ; secondement [...] qu'ils avaient aperçu qu'il y avait parmi nous des hommes pleins et gorgés de toutes sortes de commodités, et que leurs moitiés[7] étaient mendiants à leurs portes, décharnés de faim et de pauvreté ; et trouvaient étrange comme ces moitiés ici nécessiteuses pouvaient souffrir une telle injustice, qu'ils ne prissent les autres à la gorge, ou missent[8] le feu à leurs maisons. »

Montaigne, Essais, Livre I, chapitre XXXI,
« Des cannibales » (orthographe modernisée).

Comme les trois Brésiliens, vous êtes un étranger récemment arrivé en France. Épinglez une habitude qui vous semble particulièrement insolite.

---

1. *Notre façon* : nos habitudes, notre façon de vivre (celle des Européens).
2. *Notre pompe* : notre faste.
3. *D'où* : dont.
4. *Marri* : contrarié.
5. *Suisses* : sous l'Ancien Régime, des régiments suisses servaient en France.
6. Charles IX (1550-1574) est alors âgé de douze ans !
7. *Leurs moitiés* : l'autre moitié de la population.
8. *Qu'ils ne prissent [...] ou missent* : sans prendre [...] ou mettre.

B. L'autre, objet de tolérance

En 1771, le navigateur Bougainville (1729-1811) publie son *Voyage autour du monde*, relation du long périple qu'il fit entre 1766 et 1769. Diderot, en 1773, rédige un compte rendu de ce récit sous la forme d'un dialogue entre deux hommes, A et B : *Supplément au voyage de Bougainville*. A et B, après avoir échangé quelques réflexions sur la structure géographique et humaine du monde et sur les nouvelles données apportées par Bougainville, lisent le discours d'adieu qu'un vieux Tahitien aurait tenu au navigateur et que ce dernier n'aurait pas rapporté. Ce discours, imaginé par Diderot, est une violente condamnation du colonialisme.

« Tu n'es pas esclave : tu souffrirais plutôt la mort que de l'être, et tu veux nous asservir ! Tu crois donc que le Tahitien ne sait pas défendre sa liberté ou mourir ? Celui dont tu veux t'emparer comme de la brute, le Tahitien, est ton frère. Vous êtes deux enfants de la nature ; quel droit as-tu sur lui qu'il n'ait pas sur toi ? Tu es venu ; nous sommes-nous jetés sur ta personne ? avons-nous pillé ton vaisseau ? t'avons-nous saisi et exposé aux flèches de nos ennemis ? t'avons-nous associé dans nos champs au travail de nos animaux ? Nous avons respecté notre image en toi. Laisse-nous nos mœurs ; elles sont plus sages et plus honnêtes que les tiennes ; nous ne voulons point troquer ce que tu appelles notre ignorance, contre tes inutiles lumières. Tout ce qui nous est nécessaire et bon, nous le possédons. Sommes-nous dignes de mépris, parce que nous n'avons pas su nous faire des besoins superflus ? Lorsque nous avons faim, nous avons de quoi manger ; lorsque nous avons froid, nous avons de quoi nous vêtir. Tu es entré dans nos cabanes, qu'y manque-t-il, à ton avis ? Poursuis jusqu'où tu voudras tout ce que tu appelles commodités de la vie ; mais permets à des êtres sensés de s'arrêter, lorsqu'ils n'auraient à obtenir, de la continuité de leurs pénibles efforts, que des biens imaginaires. Si tu nous persuades de franchir l'étroite limite du besoin, quand finirons-nous de travailler ? Quand jouirons-nous ? Nous avons rendu la somme de nos fatigues annuelles et journalières la moindre qu'il était possible, parce que rien ne nous paraît préférable au repos. Va dans ta contrée t'agiter, te tourmenter tant que tu voudras ; laisse-nous reposer : ne nous entête ni de tes besoins factices [1], ni de tes vertus chimériques [2]. »

Quels sont les arguments développés par le chef tahitien contre la colonisation ? Comment s'y prend-il pour convaincre et persuader le navigateur ? (Étudiez l'emploi des pronoms personnels, des interrogations oratoires et les registres.)

C. L'autre, le modèle utopique

Dans son conte philosophique *Candide* (1759), Voltaire s'en prend avec ironie aux partisans de l'optimisme et dénonce l'intolérance, la cruauté et la bêtise du monde dans lequel il vit. Le héros, le jeune et naïf Candide, après maintes expériences douloureuses, arrive avec son valet Cacambo dans le lointain et merveilleux pays de l'Eldorado.

« On leur fit voir la ville, les édifices publics élevés jusqu'aux nues, les marchés ornés de mille colonnes, les fontaines d'eau pure, les fontaines d'eau rose, celles de liqueurs de canne de sucre, qui coulaient continuellement dans de grandes places pavées d'une espèce de pierreries qui répandaient une odeur semblable à celle du girofle ou de la cannelle. Candide demande à voir la cour de justice, le parlement ; on lui dit qu'il n'y en avait point, et qu'on ne plaidait jamais. Il s'informa s'il y avait des prisons, et on lui dit que non. Ce qui le surprit davantage, et qui lui fit le plus de plaisir, ce fut le palais des sciences, dans lequel il vit une galerie de deux mille pas, toute pleine d'instruments de mathématique et de physique.

Après avoir parcouru toute l'après-dînée à peu près la millième partie de la ville, on les ramena chez le roi. Candide se mit à table entre Sa Majesté, son valet Cacambo et plusieurs dames. Jamais on ne fit meilleure chère [3], et jamais on n'eut plus d'esprit à souper qu'en eut Sa Majesté. »

Voltaire, *Candide*, chapitre XVIII.

---

1. ***Factices*** : artificiels.
2. ***Chimériques*** : imaginaires.
3. ***Jamais on ne fit meilleure chère*** : jamais on ne mangea aussi bien.

En quoi l'Eldorado apparaît-il comme un monde idéal ? Montrez que cette idéalisation permet une critique de la société européenne du XVIIIe siècle.

L'autre, le mépriser, le détruire

Si l'autre est sujet de curiosité, objet de tolérance, s'il est accepté, voire admiré, il peut aussi être méprisé. Gobineau, au XIXe siècle, hiérarchise les « races » pour affirmer la supériorité de la « race » blanche.

Au début du XXe siècle, des peuples d'outre-mer souffrent encore des méfaits de la colonisation : ils sont humiliés, leur dignité est bafouée.

La haine de l'autre atteindra son paroxysme avec la mise en place des camps de concentration : les juifs seront les principales victimes de cette barbarie.

A. Haine de l'autre

Voici un extrait du premier traité moderne sur l'inégalité des « races ». Écrit par Gobineau de 1853 à 1855, il fut ensuite utilisé par les idéologies racistes.

« La variété mélanienne[1] est la plus humble et gît au bas de l'échelle. Le caractère d'animalité empreint dans la forme de son bassin lui impose sa destinée, dès l'instant de la conception. Elle ne sortira jamais du cercle intellectuel le plus restreint. Ce n'est cependant pas une brute pure et simple, que ce nègre à front étroit et fuyant, qui porte, dans la partie moyenne de son crâne, les indices de certaines énergies grossièrement puissantes. Si ces facultés pensantes sont médiocres ou même nulles, il possède dans le désir, et par la suite dans la volonté, une intensité souvent terrible. Plusieurs de ses sens sont développés avec une vigueur inconnue aux [...] autres races : le goût et l'odorat principalement.

---

1. *Mélanienne* : sombre. L'auteur évoque la race noire.

Mais là, précisément, dans l'avidité même de ses sensations, se trouve le cachet frappant de son infériorité. Tous les aliments lui sont bons, aucun ne le dégoûte, aucun ne le repousse. Ce qu'il souhaite, c'est manger, manger avec excès, avec fureur ; il n'y a pas de répugnante charogne indigne de s'engloutir dans son estomac. Il en est de même pour les odeurs, et sa sensibilité s'accommode non seulement des plus grossières, mais des plus odieuses. À ces principaux traits de caractère il joint une instabilité d'humeur, une variabilité des sentiments que rien ne peut fixer, et qui annule, pour lui, la vertu comme le vice. On dirait que l'emportement même, avec lequel il poursuit l'objet qui a mis sa sensitivité en vibration et enflammé sa convoitise, est un gage du prompt apaisement de l'une et du rapide oubli de l'autre. Enfin il tient également peu à sa vie et à celle d'autrui ; il tue volontiers pour tuer, et cette machine humaine, si facile à émouvoir [1], est, devant la souffrance, ou d'une lâcheté qui se réfugie volontiers dans la mort, ou d'une impassibilité monstrueuse. »

Gobineau, *Essai sur l'inégalité des races humaines*,
1re partie, chapitre XVI.

Quelle vision le texte donne-t-il de la « race » noire ? Quelle est la valeur du présent de l'indicatif ? Quelles preuves Gobineau avance-t-il pour appuyer son argumentation ? Quels sentiments essaie-t-il de faire naître chez le lecteur ?

B. Humiliation de l'autre

En 1932, Louis-Ferdinand Céline publie *Voyage au bout de la nuit*. Dès sa parution, l'ouvrage divise les lecteurs. Les uns rejettent une œuvre qualifiée, pour son style, de « monstruosité littéraire » ; les autres saluent en Céline un grand pamphlétaire.
Le héros-narrateur Bardamu fuit l'Europe après avoir fait la Grande Guerre. Son périple le conduit au Petit Togo. Il assiste à une scène courante dans l'Afrique colonisée : un colon cherche à tromper une

---

1. *Émouvoir* : faire bouger, mettre en mouvement.

famille africaine venue vendre ses récoltes de caoutchouc et en profite pour l'humilier.

«Toi y en a acheté alors quoi avec ton pognon? intervint le "gratteur [1]" opportunément. J'en ai pas vu un aussi con que lui tout de même depuis bien longtemps, voulut-il bien remarquer. Il doit venir de loin celui-là! Qu'est-ce que tu veux? Donne-moi-le ton pognon!»

Il lui reprit l'argent d'autorité et à la place des pièces lui chiffonna dans le creux de la main un grand mouchoir très vert qu'il avait été cueillir finement dans une cachette du comptoir.

Le petit nègre hésitait à s'en aller avec ce mouchoir. Le gratteur fit alors mieux encore. Il connaissait décidément tous les trucs du commerce conquérant. Agitant devant les yeux d'un des tout petits Noirs enfants, le grand morceau vert d'étamine [2] : «Tu le trouves pas beau toi dis morpion? T'en as souvent vu comme ça dis ma petite mignonne, dis ma petite charogne, dis mon petit boudin, des mouchoirs?» Et il le lui noua autour du cou d'autorité, question de l'habiller.

Céline, *Voyage au bout de la nuit*,
© Gallimard, 1932.

Comment le colon apparaît-il dans ce texte? De quel ton use-t-il à l'égard des indigènes? Quel vocabulaire emploie-t-il pour les désigner? Quelle position lui confère le texte? Quelle est celle donnée aux indigènes?
Les réponses que vous venez de formuler vous permettent-elles de vous orienter vers une lecture raciste de l'extrait?

C. Anéantissement de l'autre

Primo Levi (1919-1987), Italien juif, étudiant en chimie, est arrêté à Milan en 1944 et déporté à Auschwitz où il restera jusqu'en janvier 1945, date de la libération du camp par les Soviétiques. Dans son

---

1. *Gratteur* : colon blanc qui tient la boutique où les indigènes viennent vendre leur caoutchouc.
2. *Étamine* : tissu fin.

récit autobiographique *Si c'est un homme*, publié en 1947, il raconte son expérience des camps de concentration. Il décrit ici son arrivée à Auschwitz.

« Il n'y a pas de miroir, mais notre image est devant nous, reflétée par cent visages livides, cent pantins misérables et sordides. Nous voilà transformés en ces mêmes fantômes entrevus hier au soir.

Alors, pour la première fois, nous nous apercevons que notre langue manque de mots pour exprimer cette insulte : la démolition d'un homme. En un instant, dans une intuition quasi prophétique, la réalité nous apparaît : nous avons touché le fond. Il est impossible d'aller plus bas : il n'existe pas, il n'est pas possible de concevoir condition humaine plus misérable que la nôtre. Plus rien ne nous appartient : ils nous ont pris nos vêtements, nos chaussures, et même nos cheveux ; si nous parlons, ils ne nous écouteront pas, et même s'ils nous écoutaient, ils ne nous comprendraient pas. Ils nous enlèveront jusqu'à notre nom : et si nous voulons le conserver, nous devrons trouver en nous la force nécessaire pour que derrière ce nom, quelque chose de nous, de ce que nous étions, subsiste.

Nous savons, en disant cela, que nous serons difficilement compris, et il est bon qu'il en soit ainsi. Mais que chacun considère en soi-même toute la valeur, toute la signification qui s'attache à la plus anodine de nos habitudes quotidiennes, aux mille petites choses qui nous appartiennent et que même le plus humble des mendiants possède : un mouchoir, une vieille lettre, la photographie d'un être cher. Ces choses-là font partie de nous presque autant que les membres de notre corps, et il n'est pas concevable en ce monde d'en être privé, qu'aussitôt nous ne trouvions à les remplacer par d'autres objets, d'autres parties de nous-mêmes qui veillent sur nos souvenirs et les font revivre.

Qu'on imagine maintenant un homme privé non seulement des êtres qu'il aime, mais de sa maison, de ses habitudes, de ses vêtements, de tout enfin, littéralement, de tout ce qu'il possède : ce sera un homme vide, réduit à la souffrance et au besoin, dénué de tout discernement, oublieux de toute dignité : car il n'est pas rare, quand on a tout perdu, de se perdre soi-même ; ce sera un homme dont on pourra décider de la vie ou de la mort le cœur léger, sans aucune considération d'ordre humain, si ce n'est, tout au plus, le critère d'utilité. On comprendra alors le double sens du terme « camp d'extermination » et ce que nous entendons par l'expression "toucher le fond". »

Primo Levi, *Si c'est un homme*,
trad. Martine Schruoffeneger, © Robert Laffont, 1996.

Quels traitements les nazis ont-ils infligé aux juifs ? Comment sont-ils désignés par le narrateur ?
Commentez le choix d'une « écriture dépassionnée ».

Dernières parutions

Création maquette intérieure :
Sarbacane Design.

Composition : IGS-CP.
Nº d'édition : L.01EHRNFG2260.C004
Dépôt légal : août 2006
Imprimé en Espagne par Novoprint (Barcelone)